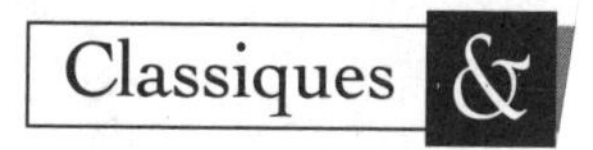

Nouvelles francophones

Nouvelles du continent africain, de la Réunion et du Canada

Présentation, notes, questions et après-texte établis par

STÉPHANE GUINOISEAU

professeur de Lettres

Sommaire

Après-texte

Selon l'Organisation internationale de la francophonie, il y aurait plus de 200 millions de locuteurs francophones dans le monde aujourd'hui. L'Afrique subsaharienne et l'océan Indien compteraient plus de 80 millions de personnes parlant français, soit davantage que dans l'Hexagone. Du Congo au Québec, de l'île Maurice à la Polynésie, du Maroc au Cameroun, du Vietnam à Haïti, la langue française se parle et s'écrit chaque jour sur tous les continents, avec des nuances et des particularités, des inventions et des différences. La littérature francophone, témoin de cette vivacité du français et appel à la plus haute exigence dans l'utilisation de notre langue, ne s'est jamais aussi bien portée.

Chaque jour, des écrivains, vivant parfois fort loin de la France, utilisent notre langue pour raconter des histoires, explorer notre monde et façonner des œuvres littéraires. C'est à la découverte de quelques-unes de ces voix exotiques et familières que nous invite ce petit florilège de nouvelles francophones.

Nous avons choisi cinq textes de nouvellistes issus du Cameroun, de la Réunion, du Congo et du Maroc, ainsi que des extraits de nouvelles de l'auteur québécois Michel Tremblay. Ces écrivains ont en commun le choix d'une langue et d'une forme : celle de la nouvelle qui impose une architecture rigoureuse, un rythme implacable, une économie de moyens, une efficacité narrative. Ils nous proposent aussi de voir notre monde contemporain autrement et d'élargir notre horizon en suivant quelques destinées parfois dramatiques sur d'autres continents.

Les angoisses d'une femme seule confrontée à un mari alcoolique, les rêves de réussite d'un jeune Marocain qui s'embarque pour un voyage sans retour vers l'Europe, la course désespérée d'une jeune mère découvrant son fils frappé de paludisme, les affres d'une Congolaise confrontée à une administration méprisante, machiste, inhumaine, les malheurs d'un jeune chef camerounais écartelé entre ses désirs de changements et les traditions ancestrales, toutes ces histoires ont un point commun : elles nous parlent des déshérités, des oubliés de la modernité, des tragédies ordinaires et silencieuses vécues par quelques misérables d'aujourd'hui, loin des projecteurs.

La littérature n'est pas seulement là pour nous distraire et nous faire rêver. Dans une société du spectacle où le divertissement est roi, où la consommation et le jeu investissent tous les domaines, elle peut aussi nous alerter, éveiller notre conscience, nous indigner et éclairer quelques injustices. Une commune sensibilité et une volonté partagée animent les auteurs de notre recueil : se placer du côté des humbles, des humiliés, des délaissés. Mettre en voix le chagrin des muets, nous faire voir les invisibles. En cela, les écrivains francophones ont une place à part entière dans la littérature française contemporaine.

Nouvelles francophones

Nouvelles du continent africain, de la Réunion et du Canada

François Nkémé

La Tragédie du chef

Très tôt le matin, quittez le macadam. Empruntez une route tortueuse où les mares d'eau et les nids-de-poule[1] sont aussi profonds que des pièges pour éléphants. En avançant, privez singes et écureuils de leur droit : la paix innée des lieux. Lorsque vous aurez fait deux cents kilomètres à bord du pick-up qui vous conduit, et que vous aurez l'impression d'en avoir fait un millier, lorsque tous vos compagnons de voyage seront descendus ici et là, happés par l'immense forêt noire, et qu'il ne restera plus que vous à l'arrière en proie aux secousses tonitruantes, alors vous vous direz, avec un ouf de soulagement : « Je suis au bout de mes peines ! » Erreur. Vos ennuis viennent plutôt de commencer.

L'immense fleuve qui vous barre la voie semble n'avoir pas de limite. Les eaux noires s'étendent à perte de vue. Bercées par le courant, les algues et les herbes de la bordure semblent danser un *bikutsi*[2] endiablé. Puisque vous n'avez plus d'autres solutions, posez vos deux genoux sur la berge, priez le Ciel et attendez sa réponse. S'il ne pleut pas ou si le ciel n'est pas nuageux, alors attendez patiemment que le passeur fasse son unique tour de la journée. Profitez ! Regardez la forêt verte sempervirente[3] qui s'étire le long du fleuve, admirez les jolies fleurs des marécages que vous n'avez peut-être jamais vues, observez le vol des oiseaux rares ; mais surtout n'oubliez pas de protéger vos mains et

1. Trous dans la chaussée.
2. Musique traditionnelle du Cameroun très rythmée.
3. À feuillage persistant.

25 vos pieds. Les moustiques aussi gros que des libellules n'auront de cesse de vous vider de votre sang. Les hippopotames dorment en ce milieu de journée, les crocodiles aussi ; faites quelques pas, et attendez. Pourquoi vous presser alors que vous allez là où l'emprise du temps n'a jamais eu une quel-
30 conque importance ?

La frêle embarcation qui vient de parcourir une dizaine de kilomètres à contre-courant touche enfin la terre ferme. Le passeur, vêtu d'une culotte courte, torse nu, et ne prononçant pas un traître mot en français, vous fait signe de le rejoindre
35 sur l'embarcation qui semble prête à ployer sous sa masse. N'y faites pas attention, montez hardiment dans cette pirogue, fermez les yeux et laissez le compagnon séculaire du fleuve l'affronter et vous conduire de l'autre côté.

Si vous préférez garder les yeux ouverts, et qu'il vous reste
40 assez de courage pour ne pas déséquilibrer le passeur, insouciant comme un ange à la vue d'un crocodile qui vous frôle presque, ou d'un hippopotame qui ouvre grandement sa gueule, alors faites le signe de croix et attendez que l'embarcation s'immobilise enfin. Puis, seul sur la berge, une fois le passeur reparti,
45 comme happé par son éternel compagnon, posez de nouveau les genoux à terre et remerciez le Ciel.

Si le soleil brille encore, l'espace entre les arbres vous laissera apercevoir une poignée de cases aux toits de raphia[1] qui se cachent, mal à l'aise dans un vallon, surplombées par

1. Variété de palmier.

50 les cimes élevées des palétuviers[1]. Terminus. Vous êtes à Abanga[2].

Ne perdez plus votre temps, évitez toutes ces cases identiques que vous apercevez. Dirigez-vous directement vers la plus grande, c'est celle du chef. Entrez à la chefferie[3] comme chez
55 vous et dites tout simplement : « Mbolo[4] ». Si le chef ne peut se lever pour vous embrasser comme l'exige la tradition africaine, ne vous vexez point. Vous n'êtes pas du tout indésirable. C'est que, depuis belle lurette[5], ses jambes ont cessé de le porter.

C'est donc ici, dans ce village aussi sombre que sobre, oublié
60 des hommes et de l'administration, distant de deux cents kilomètres environ de son chef-lieu de district, que commença la tragédie d'un jeune chef zélé.

Lorsque les gendarmes débarquèrent on ne sait trop comment, à l'aube de ce matin de février, personne ne pouvait
65 imaginer que l'arrêt de mort du chef venait d'être signé.

Plusieurs fois déjà, les villageois s'étaient plaints des méthodes fort autoritaires de ce jeune chef. En toute vérité, le village ne lui était pas hostile. Comment n'aurait-on pas aimé le fils de Ntonga ?

70 Ntonga père avait été tout au long de sa vie un sage et admirable polygame de vingt et une épouses. Il était sympathique, et ni l'avarice ni l'égoïsme ne comptaient parmi ses défauts. Non !

---

1. Arbres tropicaux.
2. Ville du Cameroun située à l'est de Yaoundé.
3. Territoire du chef.
4. Bonjour.
5. Depuis très longtemps.

Ntonga était juste. Oh, oui ! d'une justice parfaite. Parfaite et innée. Même s'il était autoritaire, c'était d'une autorité réconfortante. On aurait dit aujourd'hui qu'il était l'incarnation du pouvoir fort. Ô combien souple et attentif ! Mais si parfait fût-il, il fit une erreur. Une erreur grave compte tenu des traditions séculaires. Une erreur pour une société qui a toujours eu les mêmes rapports face au temps et à la nature, et qui n'a pas changé d'un pouce sa colonisation de l'espace vital. Pourquoi changer ? Pourquoi forcer alors que les choses ont toujours été faites jusqu'ici pour la meilleure fin possible : la conservation intacte du patrimoine qu'ont légué les ancêtres ?

Ntonga père avait envoyé son fils à l'université. Oh ! Ce n'est pas tant que l'école soit une mauvaise chose ; mais c'est l'excès qui nuit, comme tout abus, de même que les efforts savants et démoniaques qui se traduisent par la destruction du milieu naturel.

Ntonga fils, après l'école primaire et le collège du district, était allé en ville pour s'inscrire à l'université. Là-bas, loin, vers le coucher du soleil, à la capitale...

Très peu d'habitants du village d'Abanga pouvaient se vanter d'avoir vu, de leurs propres yeux, les immenses routes aussi grandes que des fleuves et polies comme des fonds de casseroles. Très peu avaient vu, et une seule fois, ces maisons aussi hautes que les grands baobabs de la forêt profonde. Ils se comptaient sur les doigts d'une seule main, ceux qui avaient vu la forêt qui s'illumine la nuit, quand mille lucioles scintillent partout. C'est en ces lieux que Ntonga fils avait vécu de nombreuses années. Il y avait passé plusieurs saisons de cacao et de café.

100 Dieu merci, la maladie de son père l'avait forcé à interrompre ses études, cette interminable initiation à l'école des Blancs. Il avait ainsi prouvé qu'« un long séjour dans l'eau ne transforme point un tronc d'arbre en crocodile[1] ». Par ce fait, il justifiait pleinement le choix que son père avait fait à sa naissance.

105 Faut-il rappeler que la naissance d'un chef n'est pas un événement profane[2] ; de jour comme de nuit, de nombreuses forces contribuent à faire de l'heureux élu un être complet dans tous les domaines. Aussi lui confie-t-on ce plus indispensable qui va permettre d'asseoir son autorité. À moins donc que le 110 collège des notables se réunisse et décide à l'unanimité de son éviction, personne ne peut rien contre l'oint[3], strictement rien.

Heureusement pour lui, Ntonga fils n'avait pas trahi le village ; car un profane eût-il pris la chefferie que la situation n'eût pas été différente d'une vacance de pouvoir, le temps de 115 chercher et former un nouveau chef.

Seulement, s'il est vrai que le long séjour d'un tronc d'arbre dans l'eau ne le transforme pas en crocodile, il est aussi vrai qu'un tronc d'arbre qui a longtemps séjourné dans l'eau dégage de la fumée s'il se doit d'entretenir un feu. Le temps de le laisser 120 sécher, parfois, les yeux larmoyants, les convives s'en sont allés.

Les villageois d'Abanga se souviennent encore de ce jeune homme au crâne tondu vêtu d'un pantalon Zorro[4] qu'on vit reve-

---

1. Maxime attribuée à l'écrivain malien Seydou Badian.
2. Dépourvu de caractère sacré, religieux.
3. L'élu de Dieu.
4. Pantalon noir comme celui que porte le personnage de Zorro.

nir de la ville. Avait-il perdu sa femme ? En tout temps, seuls les veufs et les veuves ont été ainsi tondus. Son pantalon lui descen-
125 dait si bas au-dessous des fesses que les notables commirent un des leurs pour aller lui acheter une ceinture de toute urgence en ville.

Il n'avait plus rien de l'enfant habillé de tissu traditionnel qui était parti, sachant déjà lire et rédiger toutes les correspondances, de n'importe où qu'elles vinssent ou qu'elles partissent.
130 Bref, à la mort de son père, qui ne tarda point, il prit la place de chef qui lui revenait d'office en raison de sa naissance et de sa préparation. L'amour qu'on vouait à son père se tourna vers lui. Et tout le village aima profondément ce jeune chef qui avait deux sagesses, celle des Blancs et celle des Noirs.

135 Quand il refusa et jugea scandaleux de reprendre les vingt femmes que feu son père lui léguait, les notables crièrent au sacrilège ; mais le petit peuple pardonna. Quelques jours plus tard, une fille d'une autre tribu vint de la ville pour vivre avec lui. Cette fille avait une partie de son ventre si grandement
140 découverte qu'on eût dit qu'elle était nue. Pis, à chacun de ses déhanchements, elle laissait voir un minuscule caleçon qui lui collait à la peau des fesses et qu'elle n'essayait pas de cacher. Avant qu'elle n'eût traversé une partie du village, les notables se saisirent d'elle et l'enroulèrent de force dans un pagne[1] qui
145 la couvrit de la tête aux pieds.

Le soir, ils protestèrent de plus belle, arguant[2] qu'ils ne

---

1. Vêtement simple, composé d'une pièce de tissu et ajusté autour des hanches, qui couvre le corps de la taille aux genoux.
2. Avançant que.

savaient rien de l'arbre généalogique de cette dernière. Décidément, à leurs yeux, le jeune chef avait lu un peu trop de ces romans d'amour qu'on vend en ville et qui vous disent qu'un 150 homme ne peut aimer qu'une seule femme. Un peu comme si les ancêtres, qui savaient que la femme idéale est un leurre, étaient des imbéciles. Eux au moins avaient compris qu'il leur en fallait une excellant dans la cuisson des mets rares, une autre championne dans l'art des ébats, une autre encore sachant se 155 faire belle pour les sorties d'apparat. Bref, il en fallait une dans chaque domaine de la vie.

Face à ce refus catégorique de reconnaître ses vingt épouses de droit, celles que lui léguait son père, à l'exception de sa mère, seul le petit peuple, une fois de plus, toléra cette monogamie 160 et l'interpréta comme un signe des temps. Seulement, lorsque l'unique reine repartit à la fin de ses vacances poursuivre sa scolarité à l'université, c'est tout le peuple sans exception qui cria au scandale. Jamais de la vie Abanga n'avait subi une pareille honte ! La femme du chef, la reine qui s'en va, abandonnant 165 son mari ! Décidément c'était déjà la malédiction dans le village. Qui l'eût cru ?

Il fallut deux jours au jeune chef pour convaincre les notables de libérer la jeune fille. Laquelle n'était plus que prisonnière de la chefferie. Tout compte fait, ce départ arrangeait 170 le collège d'anciens qui avait désormais tout le temps d'offrir à satiété[1], dans un futur très proche, de nombreuses épouses

1. À volonté.

au jeune chef. À tour de rôle, ils lui proposèrent des femmes, les unes plus belles que les autres, mais le jeune chef les refusa toutes sous le prétexte que son amour allait revenir les vacances
175 suivantes.

La vie continua normalement. Le jeune chef, en dépit de ses cruels égarements, était aussi généreux que son père. Il était même fort intelligent et juste. Autant d'atouts qui plaidaient en sa faveur. S'il désobéissait tout le temps, il avait en revanche
180 beaucoup de qualités. Peut-être l'âge, qui sait...

Ntonga fils creusa un nouveau puits, et les femmes cessèrent de faire de longues marches à travers la forêt pour aller au ruisseau. Le trait le plus indéniable de son génie se manifesta quand il demanda aux bras valides de se concentrer en priorité
185 sur les cultures vivrières[1], afin de tirer le village de la disette redoutée par tous. Les années précédentes, le culte de l'argent par la culture du cacao et du café avait été si fort que le village avait cruellement manqué de nourriture. Clairvoyant, le jeune chef leur montra que le travail des champs se devait d'abord
190 de rendre le village autonome du point de vue alimentaire. Le peuple protesta longtemps, mais le chef tint ferme, jusqu'au jour où les autres villages vinrent s'approvisionner à Abanga. Alors on loua sa clairvoyance, car il venait de permettre au village d'échapper à l'exiguïté[2] des saisons de café et de cacao.
195 La seconde croisade du jeune chef fut dirigée contre l'African

1. Cultures destinées à nourrir la population locale.
2. Courte durée.

gin[1]. Les dignitaires se soulevèrent et protestèrent énergiquement contre ce décret quelque peu abusif. Comment ! Le chef voulait-il qu'ils perdissent leur virilité ? Un homme, ce n'est pas une femme ; ça doit prendre du *fort*.

200 Comment allait-on désormais passer les interminables soirées autour du feu ? Sans *viatique*[2] ? Pour sûr que le griot[3] et son auditoire ne tiendraient pas le coup en buvant de l'eau. Manifestement, le nouveau chef voulait tuer la tradition. Pas l'ombre d'un doute ! Si les jeunes avaient été humiliés par le 205 Onze Sûr de Koundou, les conséquences ne devaient guère peser sur toute la communauté.

C'est à eux, les jeunes, l'espoir, qu'il fallait interdire de boire, pas aux vieux qui n'attendaient que la mort. Ainsi arguaient[4] les notables du village, face à cette décision prise contre toute attente.

210 Il faut tout de même avouer que, de mémoire de notables, pareille déculottée n'avait pas eu lieu ici, à domicile, en plein village organisateur. Le Tout-Puissant d'Abanga[5], qui avait laminé tous ses adversaires par des scores fleuves, s'était brillamment qualifié pour la finale de ce tournoi intervillages. 215 Pendant toute la première période du match décisif, on avait assisté, sous le regard outré des autres chefs de village, à une nette domination des Abangais, domination concrétisée par

---

1. Alcool très fort et bon marché qui provient du vin de palme ou de maïs en grain.
2. Soutien, aide.
3. Conteur ou poète africain.
4. Argumentaient.
5. Nom du club de football d'Abanga.

un score de trois buts à zéro. La seconde mi-temps s'apprêtait à voir l'enterrement du Onze Sûr de Koundou, quand la tendance se renversa subitement.

À la pause en effet, sûrs de l'affaire, les locaux s'étaient passé une étrange bouteille contenant un liquide pour le moins spirituel que chacun avait bu au goulot. À la reprise de la partie, se mirent-ils à voir plusieurs ballons à la fois sur l'aire de jeu ou pas du tout ? Toujours est-il que, menant trois buts à zéro, ils furent finalement défaits par trois buts contre six. Jamais Abanga n'avait autant été humilié. Ne parvenant plus à se contenir, le jeune chef descendit de la tribune et s'en prit à l'entraîneur, qui cracha le morceau[1] sous la menace. Ses poulains avaient bu de l'African gin à la pause, sûrs qu'ils étaient de remporter la coupe. Quant au sorcier du village, qui prétendait avoir poussé le club vers les succès antérieurs, il déclina toute responsabilité dans ce match. Sa magie, précisa-t-il, portait sur des individus sains d'esprit et non sur des loques saoules.

Est-il utile de signaler que, après le match, tous les joueurs furent fouettés à plat ventre devant la chefferie, par les *doungourous*[2] du chef ? L'entraîneur et le sorcier de l'équipe furent limogés[3] séance tenante[4]. L'unique objectif du chef fut désormais de prendre sa revanche sur Koundou ; et, pour cela, la croisade contre l'African gin devait commencer.

---

1. Avoua (argot).
2. Les gardes ou serviteurs. Mot obtenu par déformation de l'anglais *dangerous*.
3. Renvoyés.
4. Immédiatement.

À la tombée de la nuit, localisant avec précision les lieux de rencontres des éthyliques[1], là où Bacchus[2] descend en personne dire sa messe, avec force chants et battements des mains, le jeune chef, comme l'aigle de la nuit, entrait avec fracas et dépos-
245 sédait les dignitaires de la « vie » qui réchauffe le corps. Cassant dame-jeanne[3] par-ci, versant par-là le contenu de l'eau-de-feu au feu, Ntonga fils ne ressortait que lorsqu'il était sûr d'avoir anéanti tous les vestiges des brasseries indigènes. Les adeptes de Bacchus n'eurent plus de répit. Le chef les pourchassait même
250 dans la forêt environnante où ils se réfugiaient pour s'abreuver.

Fort gênés par cette nouvelle attitude du chef qui exigeait de façon brutale la reconversion des modes de vie et le changement d'idéal, les pieds valides, ou plutôt les éternels gosiers secs et insatisfaits, prirent l'habitude d'aller étancher leur soif dans
255 les villages voisins. Comme Koundou, le village le plus proche, était distant de vingt kilomètres environ, certains Abangais, partis pour boire, prirent la fâcheuse habitude de ne plus revenir tous les jours. C'est ainsi qu'ils passèrent des semaines entières en expédition alcoolique. Les femmes, esseulées, et non moins
260 disciples de Bacchus, rejoignaient leur mari. Abanga se dépeuplait à vue d'œil. La nuit venue, on ne voyait plus que quelques enfants et des vieillards fatigués qui regardaient, avec des yeux envieux, ceux qui pouvaient encore marcher partir s'abreuver dans des villages où le savoir-vivre ne faisait point défaut.

---

1. Alcooliques.
2. Dieu du Vin.
3. Bonbonne d'alcool.

265 Ntonga fils ne savait-il pas que la transformation de la société est une activité de longue haleine ? Ne savait-il pas qu'il faut du temps pour conduire les réformes et que, dans la lecture du livre prodigieux de la nature, de nombreux savants qui avaient pourtant raison perdirent la vie en martyrs pendant 270 que le peuple entier continuait de se tromper sans souci ? Ainsi s'étonnaient les autres chefs de village à qui la pratique du pouvoir avait appris à ne plus rechercher le changement radical, mais à se réjouir des petits efforts continus du peuple. Au lieu de casser la corde par un mouvement brusque, ils savaient qu'il 275 fallait plutôt la tirer à petits coups, chaque coup matérialisant une marche sur l'escalier sans fin ni retour du devenir. Mais le jeune chef, malgré les protestations de ses administrés, n'en démordait pas. Lorsque vint la période des impôts, il devint plus strict. L'argent de l'État devait être recouvré[1] dans les 280 délais prescrits par la loi, afin que son village contribue de façon efficace au PIB[2]. Au vu de cet objectif, il décida que tous les disciples de Bacchus, qui préféraient faire des excursions alcooliques dans les villages voisins au lieu de payer l'impôt, étaient des traîtres qui voulaient tuer le village, le groupement, 285 le département, et en définitive tout le pays. Il urgeait[3] donc de réduire les délais de paiement de l'impôt de trois à une semaine, pour forcer tout le monde à agir promptement.

Sitôt annoncé, ce raccourcissement des délais ne plut point

---

1. Récolté.
2. Produit intérieur brut. Indice qui mesure la production économique intérieure d'un pays.
3. Il était urgent.

au peuple. Et, comme il ne s'agissait que d'une semaine à passer loin des percepteurs, les Abangais prirent l'habitude de sortir très tôt le matin et de ne revenir qu'à la nuit profonde, sûrs de l'impunité. Plus grave encore, une légion de hiboux lugubres donnait un concert épouvantable chaque soir aux portes mêmes de la chefferie. Vraisemblablement, c'était un avertissement au jeune chef, au cas où il s'entêterait à poursuivre ses projets funestes.

Lorsque Ntonga fils retrouva, bien enroulé au bord de son lit, le long serpent noir, totem du village, il comprit que les tenants du pouvoir occulte qui l'avaient préparé pour sa mission se liguaient maintenant contre lui. Le reptile le fixa de ses yeux rouges et disparut presque aussitôt.

Certes, il avait raison d'exiger que l'impôt fût payé à temps ; mais le chef est-il un agent du fisc avant d'être un protecteur du village et de ses habitants ? Le bonheur du village devait-il passer après celui de la nation ? D'ailleurs, qu'est-ce que la nation pour un peuple enclavé qui a toujours vécu de la même façon depuis des siècles, si ce n'est une chose abstraite, immatérielle et sans vie ?

Lors des réunions, les notables le lui rappelaient : un frère peut bien avoir tort contre son frère, ça arrive, mais qui accepterait que son frère ait tort face à un étranger ? La notion d'équité ne peut être absolue en elle-même. Elle doit être définie selon les intérêts en jeu, pour que jamais la collectivité ne soit martyrisée et ne meure. Un bon chef se doit d'accepter la loi de la nation, mais sans jamais la diriger contre la communauté dont il détient le destin. Diplomatie et compromis comme feu son père, voilà ce que le village lui demandait.

En réponse, le jeune chef leur parlait de développement économique, des plans d'ajustement structurel, du FMI et de 320 la Banque mondiale, autant de références lointaines et inconnues qui n'émouvaient pas un brin les Abangais. Qu'avaient-ils à faire avec le plan d'ajustement structurel ? Le FMI était-il une nouvelle marque de ces canaux gonflables qu'ils voyaient parfois glisser sur le fleuve ? À partir de ce jour, les villageois 325 cessèrent de le ravitailler et de lui offrir les présents indispensables au fonctionnement de la chefferie. La guerre ouverte avait succédé aux négociations.

***

L'amitié est comme un vin fort. Elle coule dans nos veines et justifie des sentiments et des comportements que les liens du 330 sang même n'expliquent pas. Plus elle dure, plus elle se renforce.

Mais elle ne manque pas, comme tout bon vin, de faire perdre la tête. Ainsi en fut-il lorsque le chef de district, un ami d'enfance du chef Ntonga, entendit les rumeurs les plus alarmantes sur celui-ci. Il crut comprendre que son intervention 335 était nécessaire et que l'urgence se signalait. Aussi le chef de district demanda-t-il à son unité de gendarmerie de se tenir prête à intervenir.

Le lendemain à l'aube, alors que tout le village dormait encore, les gendarmes étaient là. Ils encerclèrent le village.

Toutes les issues furent bouclées, et le village devint un jouet aux mains du fouet et de la matraque. Cette unité de gendarmerie était entièrement formée de sans-galons, des jeunes qui ont tout à prouver et qui ne peuvent ignorer que les possibilités de promotion ne sont pas nombreuses lorsqu'on sort fraîchement du centre de formation. La pitié, ils ne savaient pas ce que ce mot voulait dire ; le maintien de l'ordre dans les zones rurales et enclavées, voilà ce qu'ils avaient appris pendant la formation. Ce sont les cris en provenance des extrémités du village qui réveillèrent le chef. Il courut aussi vite qu'il le put vers l'entrée nord, alors que les cris redoublaient au sud. Grande fut sa surprise lorsqu'il constata que la case de l'un de ses notables était investie par des gendarmes qui frappaient sur tout ce qui bougeait. Femmes, enfants et vieillards, tous passaient sous la matraque.

Ntonga voulut expliquer que, en tant que chef du village, il condamnait cet accès de violence. On ne lui laissa pas le temps de terminer son propos : un jeune soldat souleva sa matraque et l'abattit à plusieurs reprises sur ce récalcitrant qui voulait s'interposer. Le chef des villageois, n'était-ce pas un villageois, après tout ?

Les hommes recevaient leur correction sur la plante des pieds qui gonflait et se fendillait comme le sol en pleine saison sèche. Les femmes et les enfants prenaient leur ration sur les fesses, qui se zébraient de rouge. Les vieux qui, par une étonnante résistance aux coups de matraque, n'imploraient pas pitié, subissaient l'épreuve réservée aux adeptes de la secte « peau de fer ».

Pour eux, les molles tiges de macabo[1], tendres et flexibles, remplaçaient le gourdin et la matraque contre lesquels ils étaient blindés. Aussi constatait-on, avec ahurissement, que ceux qui 370 résistaient à toutes les variantes de coups de matraque hurlaient de douleur sous les coups d'une simple tige de macabo.

La fessée collective ne prit fin que lorsque l'astre solaire fut au zénith. Alors, les tortionnaires, qui avaient épargné la chefferie, s'en allèrent comme ils étaient venus, par un canot 375 gonflable, avec la satisfaction d'une mission bien accomplie. Abanga n'était pas un îlot imprenable.

Cette nuit-là, à Abanga, le concert de hiboux n'eut plus jamais d'égal. Les dignitaires se concertèrent. Fallait-il battre le chef ? Le brûler vif ? Ou alors le tuer simplement ? Non ! 380 Surtout pas ! Un chef, c'est quand même un chef, il mérite un traitement spécial. On allait donc le manger ; mais pas comme vous et moi avons coutume de manger un bon plat de *ndollè*[2]. Ntonga fils allait passer à la casserole mystique des sorciers.

Le collège des sages donna son aval et signa la condamnation 385 de celui-là même qu'il avait préparé un quart de siècle plus tôt. Lorsque le matin vint, le chef était déjà fini. La silhouette qu'on pouvait voir déambuler sur la grande place du village et qui essayait de se justifier avait bel et bien son sort scellé. Ni vous ni moi ne pouvions plus rien y changer. Le même soir, comme 390 par hasard, le chef tomba malade. D'une drôle de maladie qui

1. Plante tropicale.
2. Légume du Cameroun.

ne laissait rien apparaître extérieurement. Les viscères étaient manifestement atteints. Le jour suivant, son haleine devint des plus fétides[1], une véritable odeur de pourriture se dégageait de ses poumons. Oui, le chef se décomposait tout en étant vivant.
395 Il fut transporté d'urgence à l'hôpital du district, mais les examens radiologiques et biologiques ne révélèrent aucune anomalie, moins encore l'examen clinique. Après quelques jours, on ramena le jeune chef au village pour attendre sa bonne mort. Le cœur battait encore, mais l'homme n'était plus
400 que senteur d'outre-tombe. On n'attendait plus que sa fin, la fin du jeune chef zélé qui avait voulu changer radicalement la société villageoise d'Abanga.

***

Le sorcier Medogo n'avait pas son égal dans toute la forêt équatoriale. Pour trouver des initiés de son calibre, il fallait des-
405 cendre jusqu'aux rives du fleuve Zaïre, redevenu aujourd'hui Congo, et qui sera peut-être Zaïre encore. Avec son lion, dont la lignée se transmettait les rênes de père en fils, les Medogo étaient imbattables. Des villages entiers tremblaient rien qu'à l'évocation de leur nom. Mais, malgré sa puissance, Medogo
410 avait aussi un cœur d'or, un cœur de reconnaissance et un cœur d'ami. Justement, il se souvint que, jadis, Ntonga père avait sauvé la vie d'un Medogo, celui-là même qui devait porter le

1. Nauséabonde.

flambeau de la généalogie et hériter du mystérieux et indomptable lion. Ce jeune Medogo d'alors, c'était lui.

415 À cette époque, il se mourait du tétanos. La médecine traditionnelle s'était révélée impuissante face à cette maladie qui lui était inconnue. Mais, par bonheur, Ntonga père, en chef éclairé, avait envoyé un infirmier indigène injecter un sérum antitétanique au malade. C'est ainsi qu'il eut la vie sauve.

420 Lorsqu'il apprit ce qui se tramait contre Ntonga fils, les modalités exactes de la mort décidée et programmée du jeune chef, Medogo sut que l'heure de payer sa dette avait sonné. Le soir, il interpella les esprits et leur demanda grâce et protection pendant son périple à Abanga. Il n'eut, hélas ! pas de réponse. 425 Il comprit alors qu'il ne rentrerait pas indemne de ce combat. Pourtant, son honneur lui interdisait d'ignorer l'appel tacite qui était parvenu jusqu'à lui. Cette mission tranchait avec toutes celles qu'il avait effectuées jusque-là. Car, chaque fois qu'il était intervenu, il s'agissait de sanctionner des sorciers maléfiques, 430 esclaves de leur vice. Cette fois-ci, il fallait sauver la vie d'un jeune effronté qui avait osé piétiner les symboles du pouvoir traditionnel. La mission était toujours incertaine lorsqu'il avait la conviction que le droit traditionnel n'était pas de son côté.

Qu'importe ! L'heure de payer sa dette était venue. S'il y 435 avait bien quelqu'un capable de sauver le jeune chef, c'était lui et lui seul.

Cette nuit-là, le lion de Medogo sema la zizanie[1] dans les

1. La discorde.

rangs de l'ennemi. La stratégie était simple et se résumait en une opération technique : faire « vomir le chef » de la bouche
440 de ceux qui l'avaient déjà mangé.

Au petit matin, sans que le lion eût bougé, les vaincus de la nuit passèrent à tour de rôle restituer les parties de Ntonga fils qu'ils avaient mangées. Il ne restait plus que la famille des nains du bout du village, celle qui avait mangé les pieds et les
445 genoux. Quand le lion, décidé à en finir au plus vite, franchit leur barrière, les nains se barricadèrent dans leur étroite cuisine. Le lion, énervé, se glissa dans l'étroite ouverture qui servait de porte à la cuisine, gueule béante et crocs dehors. C'est à ce moment que les nains se saisirent d'un régime de noix de palme
450 plein d'épines et le lancèrent violemment dans la gueule du lion de Medogo. Le rugissement que poussa l'animal fut si grand qu'on l'entendit de l'autre côté du fleuve.

Le lion, emporté par la douleur, déchiqueta tous les nains dans leur cuisine, puis, dans un dernier effort, tourna en hur-
455 lant devant son maître Medogo ; et, au petit trot, le fauve alla se jeter dans le fleuve.

Le chef ne marchera plus jamais. Les nains déchiquetés avaient refusé de vomir ses pieds et ses genoux, qu'ils avaient mangés.

460 Le sorcier Medogo prit le chemin du retour. Les esprits l'avaient prévenu. Il savait parfaitement qu'il ne lui restait plus beaucoup de jours à vivre. Déjà, dans un voile, il voyait venir tous les sorciers qu'il avait humiliés se rassembler pour jouer sa peau au plus offrant. Plus désolant encore, il n'avait rien à laisser

465 à sa descendance. Le malheur était venu par lui. Malheur à lui.

Voilà ami, la tragédie du jeune chef Ntonga fils.

S'il ne peut se lever pour venir vous embrasser à votre arrivée à la chefferie d'Abanga, c'est tout simplement parce que ses pieds sont paralysés, les nains ont refusé obstinément de 470 les vomir. Peut-être qu'un jour, si les ancêtres le jugent utile, enverront-ils *quelqu'un* les lui remettre. Mais cela est une autre histoire.

Isabelle Hoarau-Joly

Meurtre dans un jardin

Irma se regardait dans le miroir. Sur son visage, elle lisait les stigmates[1] de la vie. Chaque ride était un épisode qui racontait une histoire. Les pattes-d'oie[2] autour de ses yeux s'étaient davantage creusées après cette nouvelle nuit sans 5 sommeil. Ses insomnies reflétaient un passé qui lui pesait : les rêves de jeunesse, les illusions tombant une à une comme les écailles.

Mais qu'est-ce que j'ai pu être bête ! se dit-elle. J'aurais pu voir depuis longtemps qu'il y avait un malaise, une fêlure chez 10 lui... J'étais trop fleur bleue[3], je croyais au grand amour pour la vie. Je me souviens de cette première soirée. Nous fêtions la fin des épreuves du bac. Ce grand garçon à l'allure un peu insolente avait tout de suite retenu mon attention. Il n'était pas doué pour la danse, gauche comme un goéland sur la piste, 15 mais, quand il m'a prise dans ses bras, je me suis sentie bien. J'avais trouvé mon nid. De fil en aiguille, on s'était revus lors de ces fêtes impromptues organisées sur la plage de Grande-Anse[4] où tous les copains se donnaient rendez-vous le week-end. Les soirées s'égrenaient au son d'une guitare et des chants avec nos 20 voix de casseroles.

On en vidait des verres ! Et les bouteilles de rhum qui s'entassaient sur le sable ! Je posais ma tête sur sa cuisse et je m'endormais en fixant la Croix du Sud[5]. Parfois, on restait

---

1. Marques.
2. Rides à l'angle extérieur de chaque œil.
3. Naïve.
4. Plage considérée comme la plus belle plage corallienne de la Réunion.
5. Constellation de l'hémisphère Sud.

ainsi jusqu'au soleil levant. Puis c'était à qui se précipitait tête
25 la première dans le bassin de baignade, affolant les bandes de poissons au milieu des coraux.

J'y croyais.

Nous étions alors unis par cette tendresse, un amour qui n'avait pas encore de nom. Qu'est-ce qu'on était bien en ce
30 temps-là !

Oui, mais d'autres fois les éclats de voix brisaient la tranquillité de la nuit. Il y en avait toujours un qui commençait à blaguer ou à rapporter un *ladi lafé*[1]. Les mots jaillissaient comme des flèches pour choquer, blesser... Cela dégénérait en bataille.
35 C'était à qui criait le plus fort, comme dans un rond de coqs[2]. On n'entendait plus que le choc des vagues, se mêlant en écho aux cris et aux paroles grossières.

Irma se bouchait les oreilles. Elles résonnaient encore, ces injures qui traînaient les femmes dans la boue. Parfois, elle
40 réussissait à mener son ti-coq[3] à l'autre bout de la plage, à le calmer jusqu'à ce qu'il tombe d'un seul coup sur la plage, emporté par les vapeurs du rhum, bafouillant des mots incohérents.

Elle restait là, gardienne solitaire, assise sur le sable qu'elle
45 marquait de son empreinte, emportée à son tour dans un sommeil sans rêve.

---

1. *Un ragot.* (Note de l'éditeur : toutes les notes de bas de page en italique sont celles d'Isabelle Hoarau-Joly.)

2. *Espace de combats où s'affrontent deux coqs.*

3. *Image qualifiant la virilité.*

Tout cela aurait dû m'éclairer sur le malaise qui hantait Romain, pensait-elle. Mais je n'ai rien vu. Ce n'était que des rituels de passage de l'adolescence. Il fallait bien marquer 50 son intégration dans la tribu, faire comme les autres. Avec le temps, cela passerait…

Leur histoire douce-amère les avait conduits au mariage.

Ils s'étaient unis à la chapelle des « Trois-Sans-Hommes » de Manapany[1]. Nom symbolique donné par trois vieilles filles 55 qui l'avaient fait construire de leurs derniers pour garder une trace de leur passage sur la terre. Les invités avaient ri de leur choix. Une bonne farce ! La chapelle des « sans-hommes » ! Un signe de virilité dont Romain se vantait quand il racontait leur mariage. L'oratoire[2] était consacré à la Vierge, qui devenait 60 ainsi la déesse tutélaire des nouveaux mariés. Irma lui avait offert son panier de fleurs de mariage, comme le voulait la tradition.

Le jeune couple s'était installé dans la vieille demeure familiale de Carrosse après avoir parcouru l'île au hasard des 65 mutations professionnelles du mari. De ce fait, elle avait préféré devenir femme au foyer, s'occuper des enfants, offrir à Romain une maison bien tenue, de bons petits plats. Une vie bien rodée, sans histoire, à part quelques disputes sans conséquence. Comme tout le monde.

70 Aux yeux des autres, j'avais de la chance, se dit-elle. Mon

---

1. Lieu de villégiature célèbre de la Réunion.
2. Petite chapelle.

mari n'était pas un coureur de jupons comme nombre de ses copains qui se vantaient entre hommes de leurs exploits amoureux.

Dans l'île, les vestiges de l'esclavage avaient laissé leur empreinte. Combien de couples cachés où l'homme, bigame[1], entretenait deux familles, avec des enfants qui ne se connaissaient pas ? Les femmes s'ignoraient, comme si de rien n'était. Elle était sûre de sa fidélité ou, du moins, elle n'en avait jamais rien su, c'est ce qui comptait. Ses copines étaient un peu jalouses d'elle : elle avait un bon mari.

Elle ne s'imaginait pas leur raconter que son couple battait de l'aile.

Le samedi soir, Romain disparaissait souvent pour une virée chez les copains, des soirées de matchs de foot. Ou bien ils jouaient aux cartes autour de quelques bouteilles. Au début, cela arrivait une fois par mois. Il revenait à l'aube, dormait sur le canapé pour ne pas la réveiller, l'haleine et les vêtements imprégnés par l'odeur lourde et écœurante du rhum. Il traînait ainsi toute la journée. Elle préférait emmener les enfants à la plage en pique-nique pour qu'ils ne s'habituent pas à la déchéance de leur père. Quand la famille rentrait le soir, le repas était prêt. Chacun faisait comme si rien ne s'était passé, et la vie reprenait son cours.

Ils ne parlaient jamais de ce sujet. Cela faisait partie de sa vie d'homme. D'ailleurs, chez ses copains, c'était pareil, elles

1. Qui a deux épouses.

l'évoquaient parfois entre femmes, mais le sujet restait tabou, dissimulé dans l'intimité des couples. Chacun chez soi avec ses tracas et ses marmites sales !

Peu à peu, Romain se mit à sortir deux soirs par semaine. Il 100 rentrait de plus en plus tard, ivre. Parfois, à la sortie du travail, il s'arrêtait devant la boutique, debout sous le manguier avec quelques traîne-savates[1], une bouteille à la main, sur le trottoir. C'était le lieu de rendez-vous des compagnons de beuverie. Quand elle passait devant eux, elle feignait de ne pas les 105 voir. Elle sentait que la pente devenait glissante. Une routine délétère[2] s'imposait dans leur vie comme une gangrène. Elle devenait même la norme !

Irma avait bien glissé quelques mots à sa belle-mère. Peine perdue ! Abandonnée très tôt par son mari, celle-ci avait élevé 110 seule son enfant et en avait fait son dieu. Elle s'était privée pour qu'il ne manque de rien, pour financer ses études. Son fils était son petit gâté, dont les moindres caprices étaient exaucés, pourri par une tendresse maternelle censée remplacer un père disparu. En grandissant, l'enfant s'était transformé en despote à 115 la maison. Il avait toujours raison, sa parole était d'évangile[3]. Sa belle-mère n'acceptait donc aucune critique remettant en cause le piédestal sur lequel elle avait placé son rejeton. Romain était fonctionnaire, marié : il avait réussi sa vie.

Quand elle lui avait parlé de son addiction[4] à l'alcool, sa

---

1. Oisifs.
2. Malsaine, destructrice.
3. Indiscutable.
4. Dépendance.

120 belle-mère lui avait répondu sans ambages : « Ma fille, c'est à toi de faire un effort et de prendre sur toi. S'il boit, c'est que tu ne lui apportes pas ce dont il a besoin dans son foyer. Et tu as de la chance, moi je me suis retrouvée seule avec un enfant de trois ans. »

125 Cette remarque l'avait fait réfléchir. Irma s'était encore plus appliquée à complaire à son mari. Quand il rentrait de sa journée de travail, elle se précipitait pour l'accueillir, lui préparait les plats qu'il aimait, jouant le même rôle que sa belle-mère. Romain ne levait plus le petit doigt pour l'aider. Il se conduisait 130 comme un coq en pâte à la maison, n'acceptant pas la moindre critique. Traité comme un pacha, il devenait de plus en plus autoritaire : tous devaient obéir au doigt et à l'œil. Même les cris des enfants lui étaient pénibles. Ceux-ci avaient pris l'habitude de chuchoter en sa présence, masquant leurs rires, faisant le 135 moins de bruit possible pour éviter les réprimandes.

Un dimanche, à la vue de son laisser-aller empuanti par l'alcool, de sa tenue débraillée, ne supportant plus de le voir avachi sur le canapé, elle avait craqué et vidé le trop-plein de son cœur.

140 – Quand même, Romain, tu te rends compte de l'image que tu donnes aux enfants. On pourrait sortir, aller se promener, ça ne peut pas continuer comme ça…

– De quoi te plains-tu ? lui avait-il répondu. Ce sont mes affaires ! Je te fais vivre, je ne lésine pas sur l'argent que je te 145 donne. Je rentre à la maison. Qu'est-ce que tu veux de plus ? Si cela ne te convient pas, retourne chez ta mère.

Elle avait ravalé ses larmes et commencé à se rendre compte qu'elle devait accepter son sort ou s'en aller. Rien ne changerait.

150 Après cette altercation, la vie avait repris son train-train. Il lui était de plus en plus difficile de supporter le poids qui pesait sur son cœur et les pensées lancinantes qui composaient son quotidien. Elle dormait mal et s'était mise à prendre des somnifères.

155 Certains dimanches, toute la famille partait en pique-nique sur la plage. Oncles et tantes se retrouvaient en « partie ». Les hommes se regroupaient pour jouer aux cartes ou aux dominos, les femmes faisaient cercle. On parlait du petit dernier, des potins de la ville, de la réussite scolaire des enfants, 160 du temps et du ciel. Mais tout ce qui était important restait caché dans le silence. On faisait bonne figure. « Cela faisait honte » de dévoiler ses souffrances et ses chagrins. Les maux restaient enfouis dans le fénoir[1] des mémoires : lave incandescente bouillant sous le vernis social. Une tempête qui pouvait 165 s'éveiller au moindre souffle, prête à se transformer en drame. Alors, rien ne pourrait plus l'arrêter. La violence se nourrissait à la source de tous ces silences.

Aussi, lorsqu'elle se retrouvait seule, elle soliloquait[2], cherchant vainement une voie de sortie, un semblant d'espoir, 170 enracinée dans sa souffrance.

---

1. *La souffrance, le désespoir.* La nuit.
2. Elle parlait seule.

Le malaise devenait de plus en plus palpable.

Romain s'était mis à compter l'argent qu'elle dépensait pour la maison, à lui demander des comptes sur ses achats, critiquant ses choix, lui reprochant de gaspiller son salaire. 175 Le quotidien devenait pénible. Ils ne se parlaient que par monosyllabes, les repas s'éternisaient dans un silence pesant. L'atmosphère devenait irrespirable. Alors on allumait la télé, qui meublait les soirées, personnage désincarné qui occupait l'espace sonore, dans un ronron familier. Puis on se retrouvait 180 dans une couche où elle devait accepter ses étreintes rapides, parfois avinées[1], sans plaisir, souvent avec dégoût. Le temps s'écoulait ainsi, impavide[2]. Elle se sentait engluée comme une mouche prise dans une toile d'araignée, où chaque mouvement renforçait sa sujétion[3]. Irma s'épuisait et lâchait prise, 185 désespérée. Son couple allait droit vers un tunnel dont elle ne voyait pas la sortie. L'oiseau tournait en rond dans la cage !

Sa seule distraction était le jardin. Elle y puisait sa force, bercée par l'eau qui tombait en pluie sur les feuilles, lavant ses sombres pensées. Elle cultivait des capillaires[4] fragiles dont les 190 noms poétiques l'enchantaient : la pluie, prince et princesse de Galles… Se comparant à leur grâce légère. Elle s'entourait d'orchidées dont la beauté froide l'aidait à se cuirasser contre les sarcasmes que son mari lui assenait de plus en plus souvent.

---

1. Imbibées de vin.
2. Imperturbablement.
3. Son enfermement.
4. Fougères.

La contemplation des plantes l'aidait à reprendre son sang-
195 froid. Elle les prenait à témoin lorsque la solitude était trop pesante. Leur compagnie amicale la réconfortait.

– Vous avez entendu ce qu'il m'a dit, ce monstre ! Il n'a rien dans les veines. Mais si ! Ce n'est pas du sang, mais du rhum qui y coule et lui vide le cerveau. Je le hais ! Il est méprisable !
200 Comment peut-il se laisser aller de cette façon ? Jusqu'où va-t-il descendre ? Et nous deux, où allons-nous ?

Mais ces plaintes dérisoires ne suffisaient pas à éliminer ce tourment qui s'accumulait depuis des années. Elle supportait son quotidien comme un fardeau de plus en plus lourd sur les
205 épaules.

Le jardin s'était rempli de fleurs chinées[1] au hasard des rencontres. Les lianes s'agglutinaient autour de la maison. Des merles de Maurice y nichaient. Leur chant régalait ses matins. Une thunbergia[2] aux larges corolles mauves et à la gorge d'or
210 se mêlait aux vrilles de la liane de jade[3] : le trésor de son jardin.

Irma avait eu un vrai coup de cœur pour ces fleurs vertes, irisées de bleu turquoise. Elle aimait leur exubérance. La liane volubile courait sur la clôture. Son feuillage vernissé[4], couleur de bronze, envahissait les arbustes, ceignant[5] l'entrée de ses
215 pousses vigoureuses, enrubannant le poteau téléphonique. Elle attendait chaque année la floraison spectaculaire de ses grappes

1. Trouvées.
2. Plante originaire d'Afrique tropicale.
3. Plante originaire des Philippines qui produit des fleurs en grappes vertes (couleur du jade).
4. Avec un aspect lisse et brillant.
5. Entourant.

en forme de becs de perroquet retournés, d'un vert opalin[1], avec des griffes recourbées. Elle restait alors en contemplation pendant des heures, comme fascinée par ces fleurs. Elle était tombée par hasard sur la légende polynésienne qui l'appelait « *moea i te'o pua rau* », ce qui veut dire « la femme endormie dans le jardin des fleurs ». C'était l'histoire d'une jeune fille qui, transformée en fleur, aurait été délivrée de ce sort par un homme patient et amoureux.

Irma se comparait à cette femme endormie et prisonnière de ce destin auquel elle ne pouvait échapper. Que faire ? Quitter son mari ? Pour aller où ? Sans travail, sans revenus. Sa famille la traiterait d'idiote et refuserait de l'héberger. Combien rêvaient d'un mari fonctionnaire ? Personne ne comprendrait ! Il y avait tant de femmes, dont sa mère qui avait enduré toute une vie un homme qu'elle n'aimait plus, pour qui il ne restait que l'habitude du quotidien : une laisse à laquelle on est attaché ! On s'y accroche par peur de l'inconnu ou du qu'en-dira-t-on ! Elle subissait son mari, malgré les paroles insultantes et le mépris qui grandissait dans son regard quand il la fixait.

Elle était sa créature. Cet état de toute-puissance satisfaisait son orgueil de mâle. Sa mère en avait fait un roi dont la cour était le foyer où tout marchait selon son bon vouloir. Sa femme se pliait à ses désirs. Il y trouvait son compte. Il ne l'aimait plus depuis des lustres, mais elle suffisait à ses besoins, elle s'occupait bien de la maison et des enfants. Pourquoi

1. Avec des reflets irisés.

changer ? Ses copains s'égaraient dans des histoires de filles avec leur lot de ralé-poussé[1], de scènes de jalousie épuisantes. Il n'en avait pas envie. De plus, une nouvelle femme voudrait lui donner un enfant. Il en avait assez comme ça. Encore des 245 complications !

Un soir, il rentra chez lui. Le repas n'était pas prêt !

Toute heureuse de la floraison de la liane de jade, Irma s'était oubliée dans sa contemplation. Elle avait admiré pendant des 250 heures les grappes opalines, elle avait suivi le vol des oiseaux blancs cueillant le nectar de leur fin bec. Elle s'était laissé emporter par la félicité[2] offerte par le jardin. Cette promenade au cœur des fleurs la libérait de ses souffrances, estompait ses sombres pensées. Elle plongeait avec délice dans le vert des feuillages, les 255 jeux de lumière du soleil. Ce voyage onirique[3] la ressourçait, la délivrant du piège où elle se débattait depuis trop longtemps.

Elle se sentait renaître, s'immergeant dans le miellat[4] butiné par les abeilles, y puisant une nouvelle force. Elle trouvait enfin là l'harmonie et la paix dont elle rêvait. Irma se rendait compte que 260 le jardin était bien le paradis, en opposition à l'enfer de la maison.

Quand elle retourna dans la maison, son visage était illuminé de ce voyage intérieur où elle avait retrouvé son calme.

Il était déjà cinq heures. Romain allait rentrer. Elle n'avait

---

1. *Disputes incessantes.*
2. Le bonheur.
3. Rêvé.
4. Substance proche du miel.

pas encore mis le riz à cuire. Elle était comme éblouie, un peu
265 absente, allégée de son fardeau intérieur.

Quand son mari arriva chez lui, il vit sa femme gaie et souriante. Il s'était arrêté à la boutique et avait bu deux, trois coups de secs[1] avec les copains du bar. Il avait le visage congestionné, les yeux injectés de sang. Elle sentit toute la violence qui émanait de lui et se prépara à l'affronter.
270

– Qu'est-ce qu'on a pour le dîner ? interrogea-t-il d'un ton revêche[2] en entrant dans la cuisine, soulevant le couvercle des marmites. Comment ? Tu n'as encore rien préparé ? Mais tu as fait quoi cette après-midi, demanda-t-il en haussant le ton,
275 lui serrant le bras. Puis, il la tourna brutalement vers lui. Il aperçut son teint frais, ses yeux brillants. Tu n'es pas comme d'habitude, remarqua-t-il, en la secouant violemment. Tu as un amant ? Tu l'as rencontré aujourd'hui ? Avoue ! cria-t-il.

– Mais non, qu'est-ce que tu vas inventer ? J'ai passé la jour-
280 née à la maison, j'ai jardiné. C'est tout. C'est vrai que je n'ai plus pensé à l'heure. Il n'y a rien d'autre, répondit-elle d'un ton effrayé en voyant son air soupçonneux.

– Tu va me dire que tu as perdu toute ta journée dans le jardin. Qu'est-ce qu'il a donc pour t'attirer comme cela ? Ce n'est
285 pas normal, rugit-il en la lâchant si brutalement qu'elle tomba.

Quand il constata qu'elle était par terre, il vit rouge, la violence qui sommeillait depuis longtemps explosa. Il se mit à la

---

1. *Le rhum est servi dans de petits verres que l'on boit d'un seul trait.*
2. Hostile, agressif.

gifler, lui tira les cheveux, lui assena des coups de pied. Elle était tellement surprise par sa colère qu'elle ne réagit pas et se laissa
290 battre, souhaitant seulement ne plus rien sentir, et surtout ne plus entendre les insultes qui accompagnaient chaque coup.

Que cela s'arrête ! Sainte Vierge, aidez-moi ! suppliait-elle en repensant à son bouquet de noces.

Il la laissa subitement, comme s'il s'était délesté de sa rage.
295 L'homme sortit dans le jardin pour se calmer. C'est alors qu'il aperçut les grappes vert turquoise qui brodaient la haie en un rideau fleuri. Les fleurs retombaient en guirlandes d'un vert lumineux, comme étincelant dans la lumière du couchant. Les griffes recourbées des bractées[1] semblaient le narguer,
300 aiguillonnant sa rage. Elles se moquaient de lui, l'humiliaient. Il entendait leur persiflage[2]. Elles riaient et le ridiculisaient.

– C'en est trop ! Alors, vous vous moquez de moi ! Ça ne va pas se passer comme ça. Je suis chez moi ici, rugit-il.

Il se précipita vers la remise, prit son sabre à canne[3] et se mit
305 à tailler la liane avec rage. Les bractées pleuvaient autour de lui dans leur jupe verte. Elles tournoyaient un instant, comme surprises, puis chutaient en silence, recouvrant le sol de leur absinthe[4], vaincues sous sa frénésie de destruction. Tristes trophées ! Bientôt, il ne resta sur le sol que leurs couleurs déjà
310 livides dans la mort qui avait fauché leur éclat. La liane mutilée

1. Petites feuilles.
2. Moquerie.
3. Sabre destiné à couper la canne à sucre, très utilisé sur l'île de la Réunion.
4. Liqueur verte.

sembla se replier sous les arbustes, la sève de la vie s'écoulant goutte à goutte de ses blessures.

Dans la cuisine, Irma se remettait lentement des coups qu'elle avait reçus. C'est la première fois qu'il me bat ! se répé-
315 tait-elle. Elle pensa aux enfants qui s'étaient réfugiés dans leur chambre. Elle se redressa. Tout son corps était douloureux. Puis elle s'enferma dans la salle de bains, essayant de recouvrer ses esprits. Elle se doucha, laissant longuement couler l'eau sur son bras écorché, se calmant peu à peu.

320 Cela ne doit plus se reproduire, se répétait-elle, il faut que je m'en aille. Il finira par me tuer. Ne plus jamais vivre ça ! Je ne peux pas accepter cette violence. Cela recommencera.

Irma resta longtemps accablée par le souvenir de cet épisode qui marquait le début d'une tragédie.

325 – Qu'est-ce que nous allons devenir ?

Soudain, revenant du jardin, Romain tambourina violemment à la porte en criant :

– Je m'en vais. Quand je rentrerai, il vaut mieux pour toi que le repas soit prêt.

330 Il ne faut pas que j'oublie les enfants, se répétait-elle pour trouver le courage de sortir de son état de prostration. Après le départ de leur père, les enfants se précipitèrent, affolés. Elle les reçut contre sa poitrine, se mettant enfin à pleurer, murmurant bêtement les seuls mots qui lui venaient aux lèvres.

335 – Ce n'est rien, ça va passer, les serrant contre elle pour se rassurer.

Elle leur servit leur dîner et les coucha en leur chantant une berceuse.

– *Dodo l'enfant do, si l'enfant y dodo pas, chat marron va souque à lu*[1]…

Ensuite elle éteignit les lumières, demeurant longtemps dans le noir. L'obscurité seule lui permettait d'oublier.

Je vais contempler ma belle liane de jade. La beauté de ses fleurs m'aidera à recouvrer mon calme.

Elle éclaira la varangue[2], découvrant avec horreur le désastre.

Les lambeaux de la plante pendaient, mutilés, amputés de leurs grappes fleuries. Il semblait à Irma que c'était son âme qui avait été meurtrie. Chaque fleur tombée était une blessure infligée à sa propre chair. Chacune symbolisait une peine, une larme qu'elle n'avait pas versée, une épine fichée dans sa peau, le venin qu'elle n'avait pas lancé qui corrompait son sang figé dans ses veines.

– Oh, monstre vomi du sein de ta mère ! Pourquoi es-tu né ? Quelle lâcheté t'habite pour avoir osé massacrer des fleurs innocentes ? Tu seras puni. Elles se vengeront. Elles me vengeront. Mais non, tu continueras à pourrir nos vies. Personne ne peut rien pour moi, acheva-t-elle, désespérée, devant l'impasse où elle se débattait. Il finira par m'assassiner, comme dans ces faits divers qui font la une des journaux. Il n'acceptera jamais que je le quitte.

Les larmes coulaient, ravinant son visage. Elle pleurait sur

1. Berceuse créole traditionnelle de la Réunion.
2. Véranda.

sa vie détruite, sur un passé qui l'avait piégée, sur un présent qu'elle aurait voulu fuir, trop pesant.

La vue du jardin massacré avivait son chagrin, son cœur était comme celui de la liane, lardé de coups de sabre. Elle était
365 anéantie par toute cette violence qui avait fait de son paradis un *caro de zépines*[1], un désert dont la vie s'enfuyait comme la sève qui s'écoulait des tiges décapitées.

Pendant des heures, elle pleura sans pouvoir s'arrêter. Irma versait des larmes sur sa vie qui partait en quenouille[2], sur cet
370 amour qui s'était perdu dans les vapeurs du rhum. Elle ne savait comment mettre un terme à cette histoire.

L'homme rentra au chant du coq, imbibé de rhum, titubant dangereusement. En passant le portail, il se prit le pied dans une liane qui le retint dans son lacet et tomba tête la première
375 dans le lit de jade qu'il avait érigé avec son sabre. Sa tempe heurta un coin du parterre, le sang se mêla à la sève blanchâtre de la liane, fleur rouge au milieu du linceul des grappes opalines. L'alizé se leva, les feuilles frissonnaient, la vie continuait dans le jardin. Une fleur couleur de jade s'épanouit…

Irma se calmait. Demain sera peut-être un jour nouveau, se dit-elle en sombrant dans un sommeil sans rêve.

---

1. *Lieu de souffrances.*
2. Déclinait.

Édouard Elvis Bvouma

Ave Mariana

Mariana interrompit un instant sa prière et se mit sur le côté. Elle s'empara d'un chiffon qui traînait au sol et nettoya la surface sur laquelle elle était à genoux depuis une heure. De la main qui tenait le chapelet[1], elle glissa un doigt sur le sol pour s'assurer que celui-ci avait bel et bien été débarrassé des grains de poussière qui commençaient à lui faire une sensation désagréable aux genoux. Avec le même chiffon, elle s'essuya les genoux puis se remit dans sa position initiale face au crucifix de bois lustré. Les mains jointes. Le buste droit. Les yeux levés. Elle fit une fois de plus le signe de croix. Le pouce et l'index sur l'un des six gros grains du chapelet, elle acheva le *Pater noster*[2] qu'elle avait interrompu et passa au premier petit grain de la série suivante : « Je vous salue Ma… »

Elle avait à peine murmuré son quarante et unième *Ave*[3] à la Maria qu'elle se leva en sursaut. D'un mouvement puissant et spontané. Elle courut vers le lit. Elle y fut en trois pas. Le petit s'était mis à toussoter. Une toux aiguë qui aurait pu être bruyante, n'eût été sa minuscule voix. Une toux effrayante, entrecoupée d'éternuements secs. Mariana écarta le drap de coton et le prit dans ses bras. À peine se fut-elle assise sur le rebord du lit qu'il se mit à vomir. Une longue coulée de vomissure blanchâtre : le comprimé de paracétamol[4] et celui de Nivaquine[5] qu'elle avait écrasés, mis dans une cuiller à soupe

1. Collier composé de grains enfilés utilisé pour compter les prières à réciter.
2. « Notre Père », prière chrétienne adressée à Dieu.
3. « *Ave Maria* » (« Je vous salue Marie »), prière catholique adressée à la Vierge Marie.
4. Médicament destiné à soulager les fièvres et les douleurs.
5. Médicament utilisé contre le paludisme, infection propagée par le moustique anophèle.

et qu'elle l'avait forcé à boire il y avait à peine une heure, en appuyant sur ses joues pour qu'il garde la bouche entrouverte et en lui bouchant les narines pour qu'il ne rejette pas la médication. C'est tout ce qu'elle avait pu faire jusque-là.

Elle essuya les vomissures et lui mit un bavoir. Comme si le vomissement lui avait fait grand bien, le petit s'assoupit et se relâcha tout d'un coup. Elle le coucha une fois de plus sur le lit, toujours sans le réveiller, et se tourna avec lassitude vers la pendule murale. Quatre heures ! Encore deux heures à tenir.

Deux longues heures qu'elle voulait très courtes. Si seulement elle pouvait commander le temps… Mais seul Dieu est maître du temps. Maître de tout.

Parlant de Dieu, elle se souvint qu'elle n'avait pas terminé sa prière. Mais elle se résigna. Elle ne pria plus. Non pas que sa prière eût été inefficace. Elle se mit plutôt à chanter. « Chanter, c'est prier deux fois », clamait encore le révérend[1] Assimba dans son homélie[2] de dimanche dernier. Elle chanta, mais cette fois-ci, contrairement au rituel de tous les soirs, ce n'était pas une berceuse, que nenni[3] ! Elle fredonna sa complainte à Dieu pour que son fils ne lui dise point adieu. Mariana pria deux fois. À voix basse, presque pour elle. Pour Dieu et elle, en évitant de réveiller son fils qui, maintenant, transpirait à grosses gouttes. Elle chantonnait d'une voix monocorde, le plus petit bruit dans

---

1. Prêtre ou pasteur protestant.
2. Discours destiné à l'assemblée des croyants.
3. Pas du tout !

la nuit pouvant paraître un tintamarre assourdissant pour le voi-
50 sin le plus éloigné. Elle ne voulait pas paraître ridicule le matin au réveil comme son voisin, que tout le monde dans le quartier appelait l'Apôtre, cet homme réfractaire aux transfusions sanguines et à toute médication[1] autre que la prière. Cet homme farouchement opposé à l'usage des moustiquaires, fussent-elles
55 imprégnées, et qu'on entendait toutes les nuits hurler à tue-tête à l'adresse des moustiques : « *Vade retro, Satanas*[2] *!* Au nom de Jésus, vous ne sucerez pas de mon sang ! » Mariana, elle, n'était pas opposée à l'usage des médicaments. Mais les médicaments, il fallait les acheter, et là elle devait attendre encore une heure
60 et demie. Que le jour se lève. Si seulement elle avait eu un peu d'argent, elle aurait foncé tête baissée dans le noir. Elle se serait lancée dans les bras de la ville, ignorant la nuit et ses dangers pour trouver une pharmacie de garde. Si elle avait eu un peu d'économies. Si elle avait attendu un jour de plus avant d'ache-
65 ter cette machine à coudre d'occasion qui, depuis hier matin, occupait un angle de la chambre. Cette machine, objet le plus précieux de la pièce, qu'elle avait longtemps espérée, désirée très fort, pour pouvoir enfin se livrer à l'activité de ses rêves. Cette machine qu'elle allait sûrement revendre dans quelques
70 heures, deux ou trois fois moins cher que son prix d'achat, afin d'avoir assez d'argent pour soigner son fils.

Dépourvue de pécule[3], elle ne pouvait que prier et chanter en

1. Traitement médical.
2. Éloigne-toi, Satan !
3. Argent.

espérant un miracle. Mariana, toujours en chantant un cantique[1], posa une fois de plus sa main sur le front de son fils. Brûlant.

75 « La Bible ! », s'écria-t-elle intérieurement, tout en tendant la main vers le chevet du lit pour s'emparer de la sainte Bible. Les yeux fermés, elle serra fortement le livre contre sa poitrine. Se souvenant avoir ouï dire qu'il y avait des passages bibliques assez efficaces pour la guérison, elle le feuilleta et s'arrêta aux 80 psaumes[2]. Mais elle ne savait pas exactement quels étaient ces psaumes miracles. Elle fit défiler les pages du Livre des Psaumes[3] et choisit d'en lire un à tout hasard : « Il frappa les premiers-nés de l'Égypte, depuis les hommes jusqu'aux animaux[4]… »

Elle abandonna la lecture du psaume 135 et tourna une 85 page. Puis une autre. Elle s'arrêta psaume 137 et lut : « Heureux qui saisit tes enfants, et les écrase sur le roc[5] !… »

Mariana referma subitement la sainte Bible.

Effrayée. Si Babou n'avait pas eu la mauvaise idée de commencer sa maladie aussi tard dans la nuit, elle aurait peut-être 90 été tentée d'aller toquer chez l'Apôtre pour qu'il lui concocte[6] une potion de psaumes. Elle déposa la Bible et s'allongea sur le lit. À côté de son fils. Épongea son front. Tira le drap sur elle. Son corps commençait à faiblir, mais il ne fallait pas qu'elle

---

1. Chant religieux.
2. Chant sacré.
3. Partie de l'Ancien Testament dans la Bible, composée de cent cinquante poèmes et située après le Livre de Job.
4. Verset 8 du Psaume 135.
5. Verset 9 du Psaume 137.
6. Prépare.

s'endorme. Surtout pas. Il fallait qu'elle veille. Qu'elle veille son fils jusqu'au petit matin. Mais Morphée[1] fut plus fort que sa volonté. Le sommeil eut raison d'elle.

Mariana se réveilla en sursaut. Elle s'était endormie mais ses sens étaient restés en éveil. Surtout son sixième sens. Elle ôta brusquement le drap sur elle et le balança à la volée. Celui-ci alla s'échouer dans le coin de la chambrette qui servait de cuisine, renversant quelques assiettes qui tombèrent dans un bruit assourdissant. D'un geste spontané, elle retourna Babou qui gesticulait les poings refermés, dans une position inconfortable, la tête penchée sur le côté, enfouie sous le bavoir. La poitrine se contractant sans cesse, à un rythme irrégulier. La respiration lourde. Quand elle enleva le bavoir du visage du petit, elle faillit hurler, crier devant ces yeux où elle n'apercevait presque plus l'iris. Que du blanc.

Affolée, elle sauta du lit et alla ouvrir la porte avec fracas, renversant dans sa course le bidon d'eau bénite[2] qui se mit à ruisseler.

Dans sa précipitation, elle n'arrivait pas à ouvrir l'une des multiples serrures de la porte, tant sa main tremblait. Une fois la porte ouverte, elle prit Babou dans ses bras et se jeta hors de la pièce comme une furie. Elle contourna la maison en courant, faillit trébucher deux fois et ouvrit la porte des latrines cernées de tôles ondulées. Elle poussa du pied le couvercle en contreplaqué qui bouchait le trou du W.C. Elle retourna son fils.

---

1. Divinité du sommeil.
2. Eau consacrée par un prêtre et destinée à purifier les fidèles.

Le tenant par les jambes, elle fit disparaître la tête de ce dernier dans la cavité obscure. Quelques cafards, effrayés, sortirent de 120 l'ouverture des latrines. Elle maintint l'enfant dans cette position quelques minutes. Une dizaine de minutes. Dès qu'elle sentit que les spasmes s'étaient arrêtés, elle ressortit sa tête du W.C. et rapprocha son visage du sien. Dans la pénombre, elle put distinguer au milieu de la cornée l'iris, et même le cristallin, dans ces petits yeux 125 de nouveau pleins de vie. Presque pleins de vie. Elle remercia intérieurement son bailleur d'avoir eu l'ingéniosité de faire des chiottes de construction artisanale, fussent-elles collectives. C'était la première fois qu'elle s'était livrée à cette expérience salvatrice. Comme téléguidée, elle avait procédé tel qu'elle avait vu Mama Madeleine le 130 faire à chaque fois qu'un enfant convulsait sous ses yeux.

Elle retourna dans la chambre, fit un signe de croix et posa Babou sur le lit. Un coq chanta au loin. Elle regarda la pendule : cinq heures, treize minutes. Elle changea rapidement les couches de l'enfant. Elle ôta sa robe de nuit et enfila un *kaba-* 135 *ngondo*[1]. Elle attacha un foulard, puisa un peu d'eau avec un gobelet et se lava le visage. Pas le temps de prendre un bain. Il n'y avait plus une minute à perdre. Elle prit son porte-monnaie et l'ouvrit : cinq cents francs[2] ! Mariana éprouva soudain une gêne indescriptible. Innommable. Cinq cents francs, ça 140 achetait à peine une tablette de paracétamol chez le revendeur de médicaments du quartier. Mais s'il fallait aller à l'hôpital...

---

1. Robe longue et élégante typique du Cameroun.

2. Francs CFA, monnaie utilisée dans 14 pays d'Afrique. 500 francs CFA équivalent à moins d'un euro d'aujourd'hui.

Elle prit son téléphone portable. Et si elle l'appelait ? Babou n'était-il pas aussi son fils ? Lui au moins avait un boulot. Un poste quand même respectable d'attaché d'administration au 145 ministère de l'Agriculture. Elle ne lui avait jamais rien demandé jusqu'ici. Elle s'était toujours occupée de son fils : de leur fils, sans l'aide de personne d'autre que Dieu. Sans autre soutien que ses ventes de croquettes. Pourtant, il le lui devait bien. N'était-ce pas à cause de lui qu'elle avait quitté très tôt les bancs 150 de l'école ? N'était-ce pas à cause de lui qu'elle n'était qu'une pauvre petite vendeuse de croquettes à l'école maternelle du quartier ? Il le lui devait car n'est-ce pas elle qui s'était opposée à son père quand il avait voulu le faire jeter en prison pour détournement de mineure ? N'était-elle pas allée en guerre 155 à quinze ans contre son géniteur en menaçant de suivre son homme en prison, et même de se suicider ? Pour une fois, il fallait qu'il agisse. Qu'il sauve son fils. Elle chercha le nom Harris dans le répertoire du téléphone mais hésita au moment de lancer l'appel. Est-il décent d'appeler un homme marié à cinq 160 heures trente ? Comment le prendrait sa femme, celle-là même pour qui il l'avait quittée voilà un an, l'abandonnant avec un bébé de huit mois sur les bras ? Au moment d'appuyer sur la touche verte, elle oscilla. Elle se résigna parce qu'elle lui en voulait. Comment ne pas en vouloir à un tel homme, même s'il lui 165 avait dit : « Je ne veux pas que mon fils souffre, qu'il manque de quoi que ce soit. Même si nous ne sommes plus ensemble, je continuerai de m'occuper de lui. Appelle-moi en cas de besoin. » Comment ne pas lui en vouloir, même s'il lui avait

répété ces mots dont elle se souvenait ? Elle posa une énième
170 fois sa main sur le front de Babou. Encore plus brûlant ! Tant pis, elle sacrifia son orgueil et son amour-propre sur l'autel de l'amour maternel, envoya « sa pétasse de femme » au diable et lança l'appel : « Vous n'avez pas assez d'unités pour appeler ce numéro. Veuillez recharger votre compte au plus tôt… »

175 Elle raccrocha. Elle prit son fils dans les bras, ramassa un petit sac dans lequel elle enfouit quelques couches de rechange. Elle s'empara du chapelet luminescent[1] qu'elle fit disparaître dans la poche de sa robe. Avant de sortir, elle regarda avec désolation la bassine où était trempée la pâte de farine qui main-
180 tenant avait gonflé et débordait presque du récipient. Tant pis pour ses petits clients.

En dix minutes, elle avait atteint la chaussée. Les premiers taxis commençaient à sillonner la ville, mais elle dut attendre une vingtaine de minutes un taximan qui consentit enfin à la
185 transporter au tarif de cent francs – la moitié du tarif officiel – pour l'Hôpital central. Il avait dû être pris de pitié en devinant son malheur sur ses traits tirés, ses yeux rougis et cette voix monocorde donnant la destination d'une inflexion presque suppliante. Le taxi roula quelques minutes. Une quinzaine à
190 peine. Alors qu'ils approchaient du centre-ville, ils tombèrent dans un bouchon d'une ampleur exceptionnelle.

Certains automobilistes rebroussaient chemin. Après quinze minutes d'attente sur place, le taximan héla, par la vitre

---

1. Qui produit de la lumière.

entrouverte, un de ses collègues qui venait en sens inverse et
195 l'interrogea sur les raisons de cette obstruction, à une heure où d'habitude la circulation est fluide.

Celui-ci lui fit comprendre que la route était barrée car le président de la République allait passer pour se rendre à l'aéroport.

200 – Madame, vous pouvez continuer à pied et emprunter un autre taxi plus loin, après le barrage, lui dit le taximan en allumant la radio qui balançait le bulletin d'information. Je crois que je vais tranquillement rentrer garer mon véhicule.

« … Le chef de l'État et son épouse effectuent ce matin à
205 onze heures un voyage pour un séjour privé d'une semaine à Zurich d'abord, à Baden-Baden ensuite… »

– Ça va, ne vous gênez pas, lança-t-il à Mariana qui voulut quand même payer la course. Vous vous rendez compte ? cria-t-il couvrant la voix du journaliste. Le président et sa femme
210 s'envolent à onze heures pour aller en Suisse cacher notre argent qu'ils ont volé et se soigner ensuite en Allemagne ; à six heures, ils ont déjà barré les routes ! grommela[1]-t-il pestant de rage, avant de faire demi-tour.

Mariana commença à marcher. Dans le même sens que des
215 centaines de personnes dont la plupart étaient des commerçants. D'une démarche vigoureuse, elle traversa le centre-ville dont l'axe principal pullulait d'éléments de la garde présidentielle et de policiers, armés jusqu'aux dents.

1. Protesta, grogna.

De temps en temps, elle s'arrêtait pour tâter la température
220 de son gosse, et le déplaçait d'une épaule à l'autre. Après une trentaine de minutes de marche, elle emprunta, en sueur malgré l'air frisquet du matin, un autre taxi au même tarif de cent francs.

Avant d'entrer dans l'enceinte de l'hôpital, elle se dirigea
225 vers un taxiphone[1] que la gérante était en train d'ouvrir et rechargea son téléphone pour un montant de deux cents francs. Elle relança automatiquement le dernier appel. Le numéro de Harris : « L'abonné que vous essayez de joindre n'est pas disponible, veuillez rappeler ultérieurement ou laisser un message
230 après le bip… »

Elle voulut laisser un message sur le répondeur mais se ravisa et raccrocha. Elle pianota sur le téléphone et entra dans l'option messages pour lui écrire un texto mais renonça au dernier moment. Elle hésita quelques secondes, puis composa
235 le numéro de Mama Madeleine. Elle au moins est souvent matinale. À la troisième sonnerie, la voix rocailleuse de sa tante répondit :

– Comment ça va, Mariana ?

– Ça ne va pas, Tantine.

240 – Ne me dis pas que toi aussi tu es malade, ma fille. Moi, je n'ai pas pu fermer l'œil de toute cette nuit : mes rhumatismes ont repris et mon éternel mal d'estomac était encore plus atroce que jamais. J'ai passé toute la nuit à prier en attendant que le

---

1. Magasin proposant des cabines téléphoniques et vendant des cartes téléphoniques.

jour se lève. Oh, faut pas que je t'embête avec ces maladies qui
245 sont en réalité de mon âge. Si tu m'appelles de bonne heure, c'est qu'il y a quelque chose de grave. Qu'y a-t-il ?

– C'est que…, balbutia-t-elle.

– Que t'arrive-t-il ?

– Ce n'est pas moi, c'est Babou. Comme toi, il a été malade
250 toute cette nuit. Il a même convulsé au petit matin. Mais, puisque toi aussi tu es malade, je ne crois plus que ce soit nécessaire de t'embêter…

– Qu'est-ce que c'est ? Le paludisme ?

– C'est tout comme.

255 – Tu l'as emmené à l'hôpital ?

– J'y suis en ce moment.

– Tu as besoin d'argent ?

– Oui.

– Écoute, il est à peine sept heures trente. Je t'envoie un peu
260 de sous tout à l'heure, juste le temps que les agences d'envoi rapide ouvrent. Disons… dans une heure. Je te rappelle dès que j'ai effectué l'envoi. Mais veille à lui faire faire les premiers soins.

Décidément, Mama Madeleine n'arrêtera jamais de la sur-
265 prendre : toujours à faire passer les autres avant elle. Elle gravit les marches de l'hôpital en pensant à cette quinquagénaire qui, une fois de plus, lui venait en aide dans une situation d'extrême urgence, après l'avoir recueillie chez elle, à l'autre bout du pays, quand son père l'avait mise à la porte pour la grossesse
270 de Babou.

– Avez-vous un carnet d'hôpital ? lui demanda le garçon assis à l'entrée de la salle d'attente.

Elle secoua la tête de la gauche vers la droite et de la droite vers la gauche, en signe de négation.

275 – Cent francs !

Mariana fouilla dans sa poche et tendit au jeune homme la dernière pièce de cent francs qui lui restait. Il lui remit un carnet de consultation ainsi qu'un papillon sur lequel était écrit le chiffre 26.

280 Son regard resta fixé sur le papillon. Incrédule.

– Excusez-moi. Nous sommes bien au pavillon Mère et enfant ?

– Oui.

– Service des urgences ?

285 – Évidemment.

– Est-ce qu'il faut aussi attendre pour les urgences ?

Le garçon la regarda avec lassitude.

– Quand il y a une urgence plus urgente qu'une urgence normale, on vient un peu plus tôt…

290 Elle balaya du regard la vingtaine de femmes assises, portant des enfants de tous les âges, sur les genoux, le dos, en kangourou[1], les uns plus en forme que les autres. Elle se retourna et fonça d'un pas décidé, droit vers le médecin qui venait d'appeler le numéro 7.

295 – Excusez-moi docteur, mon fils a fait une crise de paludisme

---

1. Porter attaché sur le ventre avec un pagne le plus souvent.

cette nuit… Il a eu une forte fièvre… il a vomi… il a même convulsé…

Le docteur s'arrêta et la reluqua[1] avant d'ôter ses lunettes cernées d'un métal doré.

300 – Madame, pouvez-vous gentiment attendre votre tour ?

– Docteur, c'est très urgent… Je vous en prie…

– Toutes ces femmes assises ont aussi des urgences. Je vous prie d'aller vous asseoir et d'attendre poliment votre tour.

Cela dit, il lui tourna le dos et entra dans son cabinet. 305 Mariana dévisagea les femmes assises, puis alla s'asseoir au bout d'un des trois bancs de la salle d'attente. Elle serra encore son fils sur sa poitrine. Le contact de son front brûlant contre son cou lui fit une agréable sensation. Elle sortit son chapelet d'une main tremblante, ferma les yeux et se mit à prier en silence.

310 Elle rouvrit les yeux. Son regard croisa celui d'une femme dans la quarantaine qui se leva et vint vers elle. Elle lui tendit un papillon que Mariana lut aussitôt : « n° 9 ». Ça allait être son tour. Elle remercia la femme d'un sourire, en lui donnant son papillon à elle.

315 – Numéro 9 !

Mariana se leva d'un bond et remit le chapelet dans la poche, puis s'introduisit dans le cabinet.

– Ticket de session ! dit le docteur, tout en prenant le carnet de soin qu'elle lui tendait.

320 – Pardon ?

1. Observa.

– Cinq cents francs pour le ticket de session, rappela-t-il en lui montrant du doigt une jeune infirmière en blouse rose qui attendait, assise sur un tabouret à sa gauche.

– Euh… c'est que… je… je n'ai pas d'argent sur moi. 325 J'attends que mon mari vienne m'en donner à l'instant, murmura-t-elle, tout en demandant intérieurement pardon à Dieu, Père, Fils et Saint-Esprit, pour ce grossier mensonge. Je vous paierai avant de partir.

Le docteur eut l'air agacé mais, voyant le désarroi dans le 330 regard de la jeune fille et les larmes qui semblaient vouloir perler, il se calma.

– De quoi souffre votre fils ?

– Il a le palu.

– Comment savez-vous que c'est le palu ? demanda-t-il en 335 s'asseyant.

– Ça a commencé par une forte fièvre, ensuite…

Il ouvrit le carnet et prit un stylo dans la poche de sa blouse.

– Nom ?

– Babilogo.

340 Il nota.

– Prénom ?

– Junior.

Il nota encore.

– Âge ?

345 – Dix-huit mois.

Après avoir noté une fois de plus, il se releva et vint vers elle.

– Passez-moi son thermomètre.

– Le thermo… J'ignorais qu'il fallait…

– Couchez-le là ! intima[1]-t-il, s'énervant de plus en plus.

350 Il se saisit d'un abaisse-langue. Elle étendit son fils sur la table de consultation, ôta la serviette qui le recouvrait et recula d'un pas, secouant le bras qui lui faisait déjà un effet de crampes.

– Il a perdu l'appétit… et… depuis hier, il a le sommeil très lourd… profond… comme vous voyez là… il n'a même pas 355 pleuré une seule fois…

Le médecin reposa l'abaisse-langue. Il ouvrit la bouche du petit. Il prit son pouls. Il chaussa son stéthoscope et le posa sur la poitrine du petit garçon.

Il ôta le stéthoscope de ses oreilles et regarda la jeune fille, 360 puis lança un regard qu'il voulut discret à l'infirmière, qui se releva d'un bond.

Mariana ne baissa pas les yeux. Elle ne détourna pas le regard. Elle resta plantée là quelques secondes. Un long silence s'ensuivit.

365 Sans mot dire, elle avança. Elle recouvrit son fils de la serviette blanche.

Elle le porta sur l'épaule. Elle sortit d'un pas lent. Le docteur lui dit quelque chose qu'elle n'entendit pas. Elle traversa la salle d'attente comme une automate, sans un regard pour les 370 femmes qui la regardaient partir. La femme qui avait troqué sa place contre la sienne l'interpella.

Mariana ne s'arrêta pas.

---

1. Ordonna.

Une fois qu'elle fut sortie de l'hôpital, l'air sec fouetta son visage. Ce visage qui ne pleurait pas. Qui ne riait pas. Qui ne
375 souriait pas. Un visage complètement inexpressif. Une vibration suivie d'une sonnerie sortirent de la poche de son *kaba-ngondo* au moment même où elle descendit la dernière marche de l'escalier. La sonnerie augmenta progressivement jusqu'à son volume maximal et les vibrations se firent plus intenses.
380 Elle laissa le téléphone sonner et vibrer longtemps, plusieurs fois consécutives, sans décrocher. Elle savait qui c'était, c'était l'appel de Mama Madeleine. Ou peut-être celui de Harris, qui essayait de la recontacter après avoir vu son appel en absence. Elle continuait de marcher, son buste contre le front jadis
385 brûlant de son fils ; son petit Babou qu'elle serrait très fort, sans plus avoir peur de l'étouffer. Elle plongea la main dans son *kaba-ngondo*, ignora le téléphone, qui s'était tu – sûrement pas pour longtemps – et saisit le chapelet. Le pouce et l'index sur un petit grain choisi au hasard, elle commença à réciter
390 l'*Ave* à la vierge qu'elle fut, cette immaculée dont jusqu'ici seul Babou avait souillé la virginité.

Emmanuel Dongala

Une journée dans la vie d'Augustine Amaya

La rafale de vent rabattit brutalement son pagne[1] entre ses jambes et elle faillit perdre l'équilibre. Elle s'arrêta, déposa le panier qu'elle tenait à la main, rattacha le pagne, son mouchoir de tête[2], reprit le panier et pressa le pas. La pluie menaçait et, 5 d'un instant à l'autre, les grosses gouttes caractéristiques des orages tropicaux de fin de saison de pluies allaient commencer à s'écraser sur la terre ; même si elle se mettait à courir, elle n'arriverait jamais avant la pluie : c'était si loin le rond-point de Moungali[3] où elle habitait ! Elle détacha le nœud qu'elle 10 avait fait à un coin de son pagne, en sortit l'argent et compta la somme qui lui restait, soixante-quinze francs CFA[4] ; elle caressa les trois pièces métalliques de vingt-cinq francs, les fit sonner dans sa main, hésita un instant, et puis tant pis, elle décida de prendre un « foula-foula[5] ».

15 Il fallait marcher jusqu'à la gare car il n'y avait pas de station de cars à la douane du Beach[6] où elle se trouvait. Elle voulut porter le panier sur sa tête afin de se libérer les bras, mais le vent trop fort l'obligea à le reprendre à la main. Elle marchait aussi vite qu'elle pouvait pour atteindre la gare 20 avant l'orage.

Fallait-il repartir au Beach demain pour cette histoire de

---

1. Vêtement simple, composé d'une pièce de tissu et ajusté autour des hanches, qui couvre le corps de la taille aux genoux.
2. Foulard.
3. Quartier commerçant et populaire de Brazzaville, capitale de la république du Congo.
4. Francs de la Communauté financière africaine. 75 francs CFA équivalent à 11 centimes d'euro aujourd'hui.
5. Véhicule automobile pour le transport en commun des voyageurs, en ville.
6. Point de départ et d'arrivée des navettes fluviales entre Khinshasa et Brazzaville.

carte d'identité perdue ? Elle ne voyait vraiment pas comment s'en sortir. Elle était allée trois jours de suite au poste de police du Beach, trois jours de suite elle était revenue
25 bredouille. Aujourd'hui, elle s'était levée à cinq heures du matin afin de se trouver parmi les premières à passer ; elle avait marché à grands pas comme à son habitude et à six heures et quart elle était devant le guichet de police, en troisième position sur la file d'attente. C'était son jour de chance
30 aujourd'hui car le responsable du bureau arriva plus tôt que d'habitude, à dix heures. Le temps de ranger ses papiers, de classer ses dossiers, de donner des ordres à ses subordonnés, il était onze heures ; le tour d'Amaya arriva à onze heures trente. Elle pria intérieurement que le chef fût de bonne
35 humeur.

– Qu'est-ce que tu veux ? demanda-t-il tout en arrangeant la médaille portant effigie[1] du fondateur du parti, accrochée à l'un des revers de sa veste.

– Je reviens au sujet de ma carte d'identité que vous avez
40 perdue.

– Je n'ai rien perdu du tout, tonna-t-il. Tout cela est arrivé par votre propre négligence.

– Ce sont vos services qui nous ont demandé de laisser les cartes et…

45 – Et quoi encore ? Vous n'avez qu'à ne pas obéir à des ordres absurdes !

---

1. L'image.

– Mais…
– Mais quoi ?
– Non, monsieur camarade chef.
50 – Cette histoire de cartes d'identité perdues commence à m'emmerder. Nous allons en finir une fois pour toutes.

Il se retourna pour regarder l'horloge fixée au mur derrière lui. Amaya suivit le mouvement du corps massif, gonflé d'autorité. À droite de l'horloge était accroché le portrait juvénile
55 et lippu[1] de l'Immortel président[2], mort assassiné par elle ne savait trop qui, tant les versions présentées étaient contradictoires. Tandis qu'à gauche, le mur était tapissé de slogans qui ne disaient rien à Amaya pour la simple raison qu'elle ne savait pas lire. Le camarade chef se retourna, consulta sa montre-bra-
60 celet, comme pour confirmer l'heure de l'horloge, puis grogna à travers la moustache qui ornait sa délicate bouche « qui ne mangeait que de la viande », pour reprendre les paroles du plus célèbre musicien du pays :

– Comme il est déjà midi, revenez cet après-midi à quatorze
65 heures.

– Mais…

Il claqua la fenêtre du guichet.

Amaya hésita alors sur ce qu'il fallait faire. Repartir jusqu'à Moungali prendrait trop de temps, et puis ce serait dépenser

---

1. Avec une ou deux lèvres proéminentes.
2. Allusion à Marien Ngouabi, président de la République populaire du Congo entre décembre 1968 et mars 1977, date de son assassinat (dont les circonstances demeurent assez étranges). Il fut l'artisan d'un marxisme « scientifique » et d'un régime révolutionnaire radical.

70 de l'argent inutilement ; il fallait donc attendre. Elle sortit et se promena le long du débarcadère. Les vedettes arrivaient, accostaient, débarquaient des commerçantes qui criaient, hurlaient, se disputaient avec les douaniers. Ces derniers, maîtres absolus des lieux, empoignaient les commerçantes, les rudoyaient[1], 75 aboyaient des ordres, n'hésitant pas à lever la chicotte[2] quand elles ne s'exécutaient pas assez vite à leur gré ; ou alors, ils confisquaient les marchandises qu'ils ne rendaient que contre gratification[3]. Mais ces femmes ne trouvaient rien d'anormal à ces bastonnades, à ces injures et outrages que les douaniers leur 80 faisaient subir, car, depuis leur naissance, toutes les autorités, coloniales ou post-coloniales, rénovatrices ou rédemptrices, réactionnaires ou révolutionnaires, adeptes du socialisme bantou[4] ou du socialisme scientifique marxiste-léniniste[5], toutes les avaient toujours traitées avec le même mépris ; et se figurer 85 un monde où des citoyens et citoyennes seraient traités avec un peu plus de dignité, de compassion et de compréhension était au-delà de leur imagination la plus folle. Et elles étaient là tous les jours, bousculées, étouffant sous le soleil, redoublant de vigilance chaque fois qu'un douanier ou autre personnage 90 louche s'approchait trop de leurs marchandises.

---

1. Maltraitaient, bousculaient.
2. Fouet à lanières en cuir nouées originaire du Congo.
3. De l'argent.
4. Idéologie du président Alphonse Massamba. Débat qui dirigea la république du Congo de 1963 à 1968.
5. Idéologie de Marien Ngouabi, président de la République populaire du Congo entre décembre 1968 et mars 1977.

Amaya aussi gagnait sa vie à ce petit commerce. Profitant de la baisse du zaïre[1] au marché noir, elle allait acheter quelques petites choses à Kinshasa, du beurre, de l'huile, du savon, de la farine – pour en citer quelques-unes – qu'elle allait vendre au détail à Brazzaville le soir dans son quartier, à la lumière d'une chandelle faite d'un torchon de linge trempé dans du pétrole lampant. La journée, elle vendait au marché de la Gare où elle faisait ses meilleures affaires ; on les avait chassées de là à coups de bottes militaires et de pelles, de bulldozers, le jour où le président de la République avait décidé de placer le marché sur son itinéraire journalier ; sa sécurité primait le gagne-pain quotidien du petit peuple. Elle ne faisait pas beaucoup de bénéfices mais assez quand même pour nourrir les six gosses qui restaient sur les huit que lui avait faits son ex-mari ; l'un était mort de paludisme[2] à dix mois ; l'autre, jeune pionnière de onze ans, avait été écrasée par un char lors du défilé annuel célébrant la révolution. Après treize ans de mariage, son mari l'avait abandonnée pour convoler en injustes noces avec une femme plus jeune, plus instruite, plus digne qu'elle d'un homme qui venait d'accéder à de hautes responsabilités politiques et syndicales après avoir végété[3] pendant quinze ans comme petit planton[4]. Elle s'était retrouvée toute seule à louer une maison avec six

1. Ancienne monnaie de la République démocratique du Congo dont la capitale est Kinshasa.
2. Maladie parasitaire véhiculée par un moustique (l'anophèle) et occasionnant de vives poussées de fièvre.
3. Vécu difficilement.
4. Soldat subalterne.

gosses sur les bras. Ne sachant ni lire ni écrire, ayant assez de dignité pour ne pas sombrer dans la prostitution si fréquente
115 ces jours-ci, elle avait été assez courageuse pour se lancer dans ce petit commerce de détail avec très peu de ressources. Son ancien mari, devenu membre du parti unique d'avant-garde[1], était désormais intouchable ; il n'était donc pas question de lui faire un procès pour obtenir une pension alimentaire[2] quel-
120 conque ; d'ailleurs, elle n'était pas assez instruite pour savoir que cela existait. La société phallocrate[3] n'a-t-elle pas toujours été ainsi ? Les hommes prenaient les femmes et les abandonnaient à leur gré ; un mari pouvait avoir plusieurs maîtresses, la société n'y trouvait rien à redire tandis qu'une femme était
125 clouée au pilori[4], chassée du logis matrimonial[5], n'eût-elle eu qu'un amant accidentel.

Une nouvelle vedette quitta l'embarcadère et se mit à fendre le Congo entre deux écumes blanches en direction de Kinshasa, le pavillon[6] zaïrois[7] jaune et vert claquant au vent. Des oiseaux
130 au pelage noir et blanc dont elle ignorait le nom jouaient avec l'eau et le vent, poursuivaient le bateau, le dépassaient, puis revenaient à la poupe[8] pour plonger en quête de poissons. Elle

1. Le PCT, Parti congolais du travail, au pouvoir entre 1969 et 1992.
2. Pension versée par le mari (ici) à sa femme, après une séparation, pour subvenir aux besoins des enfants du couple.
3. Dominée par les hommes.
4. Désignée à la réprobation générale.
5. Lieu d'habitation du couple marié.
6. Drapeau.
7. Du Zaïre, nom donné à l'actuelle République démocratique du Congo entre 1971 et 1997.
8. Arrière du navire.

regarda la capitale de l'ancienne colonie belge dresser fièrement ses tours de l'autre côté du fleuve ; ses yeux revinrent vers l'eau
135 sur laquelle traînaient nonchalamment des plaques de jacinthes aux fleurs blanchâtres.

Elle demanda l'heure : « Il est treize heures zéro cinq, madame. » Elle avait encore une heure à attendre. Elle eut faim. Elle dénoua le nœud de son pagne : elle y avait placé trois cents
140 francs. Elle acheta un petit pain de manioc pour cent francs, des safous[1] cuits à l'eau pour cinquante francs et des bananes mûres également à cinquante francs. Elle s'assit sous le grand fromager[2] près du bâtiment des douanes et mangea. Elle eut alors soif et acheta du tangawissi[3] fortement épicé à vingt-cinq
145 francs puis alla se placer devant le guichet du camarade chef de poste. Elle eut de la chance, elle était la première. Elle attendit.

14 h 45 : le camarade chef arriva. Amaya pria intérieurement pour que tout se passât bien ; sinon c'était la famine pour sa grande famille. Cela faisait trois jours qu'elle n'était pas allée à
150 Kinshasa, ses stocks étaient épuisés ; la fin du mois approchait, ce qui voulait dire un loyer à payer. Les propriétaires étaient des gens bizarres ; un fonctionnaire pouvait rester deux mois sans acquitter de loyer, ils ne disaient rien, c'était la faute de l'État qui ne payait ses employés qu'avec deux, voire trois mois
155 de retard ; mais quand une pauvre femme commerçante avait un retard de quelques jours, c'étaient des menaces d'expulsion.

---

1. Fruit du safoutier.
2. Grand arbre tropical.
3. Jus de gingembre.

Ah ! fasse le ciel que cette question de carte d'identité soit réglée ! Mais qu'est-ce qui leur avait pris pour changer ainsi les règles du jeu ? Avant, on gardait sa carte d'identité sur soi pen-
160 dant le voyage aller et retour. Maintenant il fallait la laisser au poste de police de la frontière. Il y a quatre jours donc, elle avait laissé, comme cela était désormais exigé, sa carte aux services *ad hoc*[1] ; elle avait passé la journée au Zaïre puis elle était rentrée avec ses marchandises. Au moment de récupérer ses papiers, il
165 n'y avait pas de carte d'identité. On lui avait demandé de revenir le lendemain, puis le lendemain, puis le lendemain. On la traitait comme si elle était responsable de la perte et cela bloquait son commerce.

Du temps des colons, il était facile d'aller à Kinshasa ; mainte-
170 nant, cela était beaucoup plus compliqué, on exigeait beaucoup plus de papiers. Bien sûr qu'elle comprenait la nécessité de contrôler sévèrement les traversées car on leur avait expliqué à la radio que la révolution était menacée par les bourgeois bureaucrates – elle ne savait toujours pas ce que cela voulait dire exactement
175 –, qu'elle était continuellement agressée comme au Viêt-Nam et qu'il fallait la défendre. Mais peut-être que perdre les cartes d'identité de pauvres commerçantes faisait partie de la défense de la révolution. Elle n'était pas assez compétente pour juger.

Le guichet s'ouvrit ; elle sursauta, arrachée à ses pensées. Elle
180 s'approcha, timide, essayant de résister à la poussée des autres derrière elle.

---

1. Aux services concernés.

– Bon, grogna encore une fois le camarade responsable et membre du parti, qu'est-ce que tu veux ?

– J'étais déjà là ce matin et vous m'avez demandé de revenir
185 cet après-midi ; c'est pour la carte d'identité que vos services ont… n'ont pas retrouvée.

– Ah, ouais, je m'en souviens. Je viens de discuter de ce problème avec mes adjoints, ils sont en train de s'en occuper. Revenez demain matin. Au suivant.

190 Amaya crut qu'elle allait éclater. Elle se retint pour ne pas pleurer. Encore une journée de perdue, encore une journée de commerce manquée ! Demain sera-t-il un autre jour ? Elle sortit les jambes défaillantes, elle se réhabitua aux bruits et à la chaleur de la rue et se mit à marcher à pas lents.

195 Le vent se leva en tourbillons, faisant tournoyer les feuilles mortes en une danse qui ressemblait à une danse de diables. Amaya pensa brusquement à sa petite dernière, celle qui avait eu une poussée de fièvre paludéenne[1] hier soir ; elle lui avait donné un comprimé de chloroquine[2], cela l'avait-elle guérie ?
200 Inquiète, elle se mit pratiquement à courir et arriva à la gare, essoufflée.

Ils étaient là les « foula-foula », monstres bleus, gros scarabées inconfortables que l'on prenait d'assaut comme les salles du cinéma ABC de Moungali. Deux partirent, puis trois. Elle
205 délia le nœud au coin de son pagne, sortit une pièce de vingt-

1. Fièvre occasionnée par le paludisme.
2. Médicament antipaludique.

cinq francs et refit le nœud ; elle fixa bien son pagne autour de ses hanches et se jeta dans la mêlée. Une centaine de personnes voulaient entrer en même temps dans le car qui ne contenait que trente places. On s'injuriait, on se lançait des coups de 210 pied, on poussait, on s'écrasait. Elle réussit à mettre un pied sur le marchepied, et pendant qu'elle essayait de s'agripper à la rampe fixée à la carrosserie, le contrôleur cria « boré », mot codé signifiant au chauffeur de démarrer. Le bus s'arracha violemment au coup d'accélérateur. Amaya fut rejetée en arrière mais 215 son pied resta coincé entre deux degrés du marchepied ; elle fut traînée sur une dizaine de mètres sous les cris horrifiés de la foule, réussit à dégager son pied et retomba sur le dur macadam pendant que le car, continuant sur sa lancée, disparaissait là-bas, au carrefour du magasin Monoprix. Elle se releva, rassem- 220 bla les lambeaux de son pagne déchiré, s'épousseta et essuya un peu de sang qui coulait de ses écorchures. Une bonne âme lui tendit son panier. Elle la remercia avec sérénité et ramassa ses effets éparpillés. Les premières gouttes de pluie se mirent alors à tomber, puis aussitôt ce fut le déluge des pluies tropicales.

225 Augustine Amaya mit son panier sur sa tête et, pleine de dignité, sa frêle silhouette s'éloigna ruisselante de pluie vers le rond-point de Poto Poto[1].

Demain sera-t-il un autre jour ?

---

1. Un quartier populaire du centre de Brazzaville.

Fouad Laroui
Être quelqu'un

Le gardien de l'unique hôtel de Khouribga[1] était un homme de petite taille, noir de peau et maigre comme un clou. Il était taciturne et méfiant et semblait fuir les hommes. Il ne parlait qu'au directeur de l'hôtel, qui le traitait avec condescendance. Il avait un garçon nommé Lahcen, qui lui tenait parfois compagnie, les jours où l'école était fermée. De la même façon que le père s'installait sur une chaise, à l'entrée de l'hôtel, et regardait dans le vide, les bras ballants, légèrement voûté, le fils s'asseyait sur un tabouret et levait des yeux craintifs sur les passants, sans rien dire, sans rien faire. C'était un enfant timide, malingre, aux traits négroïdes[2] et au regard souvent triste. À l'école, il était sans doute en butte aux moqueries des autres élèves parce qu'il était naïf, parce qu'il était laid. Il avait une tête de victime.

Quand les ingénieurs de l'Office chérifien des phosphates[3] venaient boire quelque chose au bar de l'hôtel, le petit garçon les contemplait de loin. S'ils essayaient de lui parler, touchés par son regard mélancolique, il ne disait rien ; il reculait parfois, lentement, quand ils voulaient lui donner une petite pièce d'argent pour aller acheter des bonbons. Quand on lui demandait son nom, il ne répondait rien. Il semblait avoir entendu la question mais il ne réagissait pas, comme s'il n'avait pas de nom. Les ingénieurs haussaient les épaules et oubliaient le sauvageon[4].

---

1. Ville marocaine située à 120 kilomètres au sud de Casablanca. Cité minière de 210 000 habitants qui abrite une importante production de phosphates.

2. Qui présente certains traits propres aux visages noirs.

3. Entreprise publique qui exploite et exporte les phosphates marocains.

4. Enfant sauvage, sans grande éducation.

Les années passèrent. Les hommes de la région de Khou-
25 ribga, ne trouvant pas de travail dans la région, prirent l'habitude d'aller tenter leur chance en Europe, avec une prédilection[1] pour l'Italie. Et quand les frontières de l'Europe se fermèrent, quand il devint presque impossible d'obtenir un visa, les plus déterminés se mirent à traverser
30 le détroit de Gibraltar[2] en pleine nuit, dans des embarcations de fortune. Des centaines d'anonymes trouvèrent la mort dans les eaux faussement paisibles du détroit, dans les courants invisibles et traîtres qui montaient la garde mieux qu'une armée entière.

*

**

35 Lahcen a maintenant vingt ans. Le petit garçon perce parfois sous l'homme, quand il sourit par exemple, ce qui ne lui arrive pas souvent. On croit lire une certaine volonté, à laquelle se joint un peu d'entêtement, dans ce menton proéminent et ces fortes mâchoires. L'enfant timide qu'il fut l'est resté, au fond,
40 mais il peut donner le change[3] grâce à son physique. La bouche large, aux lèvres épaisses, fait illusion, elle aussi. Elle semble

1. Préférence.
2. Passage entre le nord du Maroc et le sud de l'Espagne.
3. Faire bonne impression.

indiquer une sensualité qu'il est loin de posséder, lui, l'homme fruste qui ne rêve pas, qui n'a jamais rêvé. Ses cheveux crépus découragent le peigne, alors il ne s'en occupe pas, se contentant de les couper très court quand ils commencent à boucler. L'air naïf d'autrefois subsiste dans ce tic de garder ouverte la bouche, tout le temps, ce qui lui donne l'air d'un demeuré. Par contraste, on lit une certaine gravité, ou peut-être est-ce de la tristesse, dans ses yeux un peu globuleux. Il n'est pas très grand mais il a quand même trouvé moyen de se voûter, comme s'il était encombré de son corps.

Tout compte fait, il a encore enlaidi, Lahcen, en grandissant. Il ne se regarde pas souvent dans le miroir, mais quand il le fait, chez le coiffeur par exemple, il devient morose et une interrogation se forme peut-être dans sa tête, même s'il ne la formule pas vraiment. Il se contente de détourner les yeux. Le coiffeur a collé un peu partout des portraits d'acteurs célèbres, découpés dans des magazines et sans doute choisis pour la chevelure abondante et lustrée qu'ils montrent. Les yeux de Lahcen se posent parfois sur Richard Burton, Farid al-Atrach ou George Clooney[1]. Ils s'emplissent alors d'une ombre de mélancolie.

Il n'allait pas voir ses vingt ans, Lahcen. Le beau détroit de Gibraltar, où passent les navires et folâtrent les dauphins, allait être son linceul[2] et sa sépulture. Son père, toujours gardien de

1. Noms d'acteurs célèbres réputés pour leur beauté.
2. Toile servant à ensevelir un mort.

l'unique hôtel de la ville, dirait plus tard à un lointain cousin venu présenter ses condoléances :

– Deux jours avant son départ, il est venu me voir pour me demander de l'argent. Beaucoup d'argent. Plus de dix mille dirhams[1] ! J'ai tout de suite compris qu'il voulait s'en aller, qu'il allait « brûler », comme ils disent.

Il essuie une larme, lui, l'homme taciturne. Malgré l'air buté de son fils, ses mâchoires crispées, son regard sombre, il a essayé d'argumenter.

– Dix mille dirhams ! Mais tu es fou ? Tu sais bien que je n'ai pas ce genre de somme. Je ne suis qu'un gardien… Je ne possède ni terre ni troupeau. Tu vois bien dans quelle gêne nous vivons. Je n'ai pas cet argent.

Le fils, qui d'habitude ne trouvait jamais ses mots, avait répondu par une tirade fiévreuse :

– Alors trouve-le ! Nous avons des oncles riches. L'un d'eux est même un ami du roi. (C'était une légende qui autorisait l'espoir quand tout allait mal.) À quoi sert leur fortune ? Si tu ne te débrouilles pas pour me trouver cette somme, je m'en irai de toute façon. Qu'est-ce qui me retient ici ? L'école, ça n'a rien donné. L'Office des phosphates n'a pas voulu de moi. Je suis chômeur, sans aucun espoir de trouver du travail. Je traverserai la mer à la nage ou bien j'irai me jeter du haut d'un terril[2]. Plutôt la mort ! Tout plutôt que cette vie qui n'en est pas une. Je

1. À peu près 900 euros en 2014.
2. Entassement de débris stériles issus des mines.

ne suis personne, ici. Au moins, à l'étranger, je serai quelqu'un.
90 Si tu continues de me dire non, je le jure devant Dieu, à partir d'aujourd'hui, je n'ai ni père ni mère, je vous renie à jamais !

Le père était resté silencieux. La violence des mots qu'avait employés son fils, d'habitude si timide et respectueux, l'avait stupéfié, à tel point qu'il s'était demandé s'il avait consommé
95 du haschich ou de l'alcool. La ville grouillait d'ivrognes et de drogués. Peut-être avait-il maintenant de mauvaises fréquentations ? Lahcen avait enfoncé le clou[1].

– Tu te dis mon père. Mais si tu n'as pas de quoi répondre à mes besoins, pourquoi m'as-tu fait venir dans ce monde ? Je
100 n'ai pas demandé à naître.

L'ami venu présenter ses condoléances hoche la tête. Il connaît cet argument, qu'utilisent parfois les adolescents en révolte depuis que la télévision est partout. Autrefois, quand les enfants respectaient leurs parents, on n'entendait jamais ce
105 genre de phrase.

– Que pouvais-je faire ? Si je ne lui avais pas donné l'argent, je l'aurais perdu. Peut-être serait-il devenu un criminel… ou un drogué, comme il y en a de plus en plus à Khouribga. J'ai emprunté à droite et à gauche, j'ai demandé une aide à certains
110 ingénieurs qui viennent souvent à l'hôtel, et je lui ai donné la somme qu'il réclamait. Et puis, pour lui montrer que… que j'étais avec lui, que je le soutenais dans son aventure, je lui ai moi-même acheté un billet pour Tétouan[2].

---

1. Insisté.
2. Ville marocaine située tout au nord du pays.

– J'ai acheté à mon fils un billet pour la mort.

115 Il baisse la tête.

– Le jour du départ, j'ai dit à sa mère : « Prends le deuil, femme, tu ne reverras jamais ton fils. » C'était un pressentiment.

*
**

L'embarquement eut lieu quelques jours après la fin du Ramadan[1].

120 Lahcen, mis au courant par le patron d'un café, se joint à un groupe d'une vingtaine d'hommes, la plupart très jeunes, qui viennent de Khouribga ou des villages environnants. Ils ont de la famille en Italie ou des amis, ou bien ils connaissent vaguement quelqu'un qui y réside, un compatriote qui a réussi la traversée 125 avant eux. Ils espèrent les rejoindre dans ce pays de Cocagne[2], se fondre dans la foule qu'ils imaginent riche et affairée, trouver quelque moyen d'existence, de survie. Ils travailleront dans les champs, dans les usines, sur les marchés. À défaut, ils tendront la main, discrètement. Dans quelques années, pécule[3] en poche, 130 ils reviendront chercher une épouse au pays et fonderont une famille, ici ou ailleurs, peu importe où, puisque l'argent ne sera plus un problème et qu'ils jouiront de l'estime et de la considération de tous. C'est là le rêve qui hante leurs rêves.

---

1. Mois saint pour les musulmans durant lequel les pratiquants suivent un certain nombre d'obligations religieuses.
2. Paradis.
3. Économies.

Il y a aussi des envies moins avouables, revenir en Mercedes
135 avec un klaxon de fantaisie, la montre au poignet, en or bien sûr. Il s'agit d'en mettre plein la vue à ceux qui n'ont pas osé partir… À force d'entendre ces histoires, même Lahcen, qui ne rêve jamais, s'est mis à imaginer une vie différente.

En attendant, n'ayant ni travail régulier, ni capitaux, ni
140 amis bien placés, ces hommes n'ont pas pu obtenir de visa d'entrée pour l'Europe. Certains ont passé des jours entiers à faire la queue devant les consulats étrangers, à Casablanca, ils ont dépensé leurs économies pour payer les « frais de dossier », parfois pour tenter de soudoyer[1] des fonctionnaires, le tout en
145 pure perte[2]. On leur a opposé un refus définitif. D'ailleurs, la plupart n'ont même pas essayé. Ils connaissent leur place, eux, la place de ceux à qui rien n'est jamais donné gratuitement. Eh bien, tant pis, ils prendront par la ruse ou par la force. Ils mettront en jeu leur vie. C'est tout ce qu'ils possèdent. C'est
150 énorme. Ce n'est pas grand-chose.

Intimidé, Lahcen regarde à la dérobée ses compagnons d'aventure, dans les yeux desquels se lit une détermination farouche. Ce sont les desperados[3] de Boujaad, de Oued Zem, de Fqih Ben Salah[4]… Il ne sait trop comment il doit les
155 considérer. Sont-ils des frères d'infortune, « tous pour un, un pour tous[5] », qui seront toujours là pour l'aider en cas de coup

---

1. Corrompre.
2. Inutilement.
3. Hors-la-loi prêts à tout.
4. Trois petites villes situées en plein centre du Maroc.
5. Devise ancienne popularisée par Alexandre Dumas (*Les Trois Mousquetaires*).

dur ? Ou bien sont-ce des concurrents dont il faut se méfier ? On entend parfois raconter des histoires horribles d'hommes jetés par-dessus bord après avoir été dépouillés par les autres
160 passagers, tous de mèche… Il cherche d'instinct un visage un peu plus amène[1] que les autres, il voudrait s'approcher de l'un d'eux, lier son destin au sien, le croire frère de sang ou frère de lait, pour mieux affronter la déveine qui le poursuit depuis sa naissance. Mais tous les visages sont fermés. Il se sent terrible-
165 ment seul.

Le groupe se rend en autocar à Tétouan, au nord du pays, en passant par Casablanca. L'un des aventuriers, Abdeljebbar, grand gaillard efflanqué agité de tics nerveux, s'est procuré l'adresse à Tétouan d'un certain Riffi qui les mettra en contact
170 avec un passeur, un dénommé Hakim ou Hakam, on ne sait pas trop. Lahcen commence à se perdre dans cette litanie[2] de noms. À cette occasion, il apprend qu'on désigne les passeurs sous le nom de *raïs*[3], un mot qui signifie d'habitude « patron » ou « président ».

175 *Raïs* ? Que d'honneur pour une crapule qui profite de notre malheur, pense-t-il d'abord. Puis il se ravise. C'est normal que le passeur profite, après tout : il n'a rien demandé, c'est nous qui sommes demandeurs. Et il nous rend un service énorme. Il risque la prison s'il est pris par les gendarmes marocains ou les
180 garde-côtes espagnols. Il risque aussi de devoir payer une forte

1. Agréable.
2. Suite.
3. Le mot signifie « chef » en arabe (ou patron, président).

amende ou d'être passé à tabac[1]. Finalement, la vie n'est rose pour personne. Quel foutu monde…

Quoi qu'il en soit, ce *raïs*-là possède une barque à fond plat, du type de celles que les Espagnols nomment *pateras*. L'indica-
185 teur, le passeur, la barque forment une chaîne magique qui les conduira à l'eldorado[2] européen. Abdeljebbar montre de temps en temps, avec le geste précautionneux de celui qui déroule la carte de l'île au trésor, un petit bout de papier sur lequel sont griffonnés, au stylo à bille bleu, un nom et une adresse. Pour
190 l'instant, c'est leur seul espoir.

Au petit matin, ils sont devant l'adresse indiquée, une maison à un étage dans un quartier populaire de Tétouan. Riffi – c'est sans doute un pseudonyme – semble les attendre. Dès le premier coup assené sur la porte, il apparaît, regarde le groupe
195 d'hommes d'un air méfiant puis leur fait signe de le suivre. Il n'a dit ni bonjour, ni bienvenue, ni rien du tout, comme s'il n'avait pas de temps à perdre ou comme si ces malheureux n'étaient pas dignes d'être salués. Lahcen ressent une certaine appréhension. Même s'il n'est pas loquace[3] lui-même, il lui
200 semble que cette absence de civilité est de mauvais augure.

Riffi traverse rapidement la rue et ouvre la portière d'un camion vétuste[4], recouvert d'une bâche verte qui a connu des jours meilleurs. À l'ombre de la portière, il exige le paiement

---

1. Frappé.
2. Paradis.
3. Bavard.
4. Ancien et en mauvais état.

immédiat de deux cents dirhams[1] par personne – c'est la somme convenue, chacun s'exécute sans mot dire. Satisfait, il se hisse dans la cabine et leur fait signe de s'installer dans la benne – décidément, il ne parle pas beaucoup, cet homme qui tient leur destin entre ses mains. Chacun grimpe dans la benne, tant bien que mal, et s'assoit au contact du métal froid. On sent encore l'odeur des moutons ou des chèvres qui ont précédé sous cette bâche ce troupeau d'un autre genre.

Riffi conduit très prudemment, pour ne pas attirer l'attention de la police ou des gendarmes, jusqu'à la sortie de la ville ; puis il continue pendant une bonne heure en direction du nord. Arrivé dans un endroit isolé, en surplomb de la mer, il arrête le camion. Les hommes descendent un par un de la benne. Riffi les suit pour s'assurer qu'elle est bien refermée et s'apprête à grimper de nouveau dans le véhicule mais Abdeljebbar, que la possession du bout de papier portant l'adresse semble avoir propulsé au rang de chef, lui barre le passage. Son visage tressaute de tics.

– Holà ! Où vas-tu ?

– Je rentre chez moi prendre mon petit déjeuner. Bonne chance à tous. Le *raïs* va venir vous chercher.

Abdeljebbar hésite car Riffi a dit tout cela sur le ton de l'évidence, comme si ça allait de soi. Les hommes se regardent, indécis. Lahcen vainc sa timidité naturelle et se place lui aussi entre Riffi et la portière du camion, qui est restée ouverte. Ses

---

1. Environ 18 euros en 2014.

grosses lèvres tremblent. Il lance d'une voix mal assurée, que l'angoisse déforme :

– *La, la, oualou*[1] *!* Rien du tout ! Tu ne partiras pas avant qu'on ait vu le *raïs*. On t'a donné chacun deux cents dirhams. Qui nous dit que tout cela n'est pas une escroquerie ? Qui nous dit que le *raïs* va vraiment venir ? Qui nous dit qu'il existe ? Si tu veux partir, rends-nous notre argent et ramène-nous à al-Hoceima[2].

Riffi, estomaqué, commence par le prendre de haut. Il bafouille, il éructe[3], il traite Lahcen de blédard[4], de sodomite, de fils de négresse, mais rien n'y fait : les yeux globuleux du Khouribgui lancent des éclairs, son corps voûté se redresse, il ne le laissera pas remonter dans son camion. Abdeljebbar s'est croisé les bras sur la poitrine, il bombe le torse et déclare à son tour qu'il veut voir Hakim ou Hakam ou *quel-que-soit-le-nom-que-le-Diable-lui-a-donné* de ses yeux. Les autres l'approuvent bruyamment. Se rendant compte qu'il est en face de vingt gaillards qui n'ont rien à perdre, Riffi hausse les épaules, grommelle quelques imprécations[5] et va s'asseoir à l'ombre du véhicule.

– Eh bien, on va attendre ensemble, dit-il, furieux.

Une demi-heure passe. Les voyageurs, assis à même le sol, se protègent comme ils le peuvent du soleil qui commence

1. Pas du tout.
2. Ville située sur la côte nord-est du Maroc.
3. Proteste bruyamment.
4. Misérable, plouc.
5. Malédictions, insultes.

à darder ses rayons. Certains ont allumé une cigarette pour se donner du cœur. Quelques-uns bavardent à voix basse. D'autres contemplent la mer, scrutent la ligne d'horizon où ils croient deviner les côtes de l'Europe – ce n'est qu'une
255 illusion, bien sûr. Finalement, une vieille Peugeot grise de poussière apparaît et s'arrête sur le bas-côté. Deux silhouettes occupent les sièges avant. Le chauffeur reste dans la voiture. Le passager en sort. C'est un homme tout petit, plutôt maigre, les yeux vifs et la moustache noire, que Riffi présente
260 à la ronde comme le fameux Hakam, en braillant sur le ton du « je vous l'avais bien dit, bande d'ânes, je suis un homme honnête, vous m'avez injustement soupçonné ». Le passeur encaisse sans mot dire les dix mille dirhams en espèces que chaque homme a sur soi. C'est le tarif réglementaire. Cha-
265 cun le connaissait et s'était préparé en conséquence. Mais les mains hésitent à donner, les doigts se crispent. Dix mille dirhams, c'est une petite fortune.

Après avoir encaissé l'argent, Hakam va le remettre au chauffeur de la Peugeot. Puis il revient vers les hommes qui ne
270 l'ont pas quitté des yeux. Le camion de Riffi a disparu au loin. Hakam, triturant sa moustache, informe les passagers que la mer est très agitée.

Abdeljebbar fronce le sourcil.

– Et alors ?

275 – Alors, il vaut mieux reporter la date du départ.

Le silence consterné qui accueille ces paroles est de courte durée. Les vingt hommes se mettent à parler en même temps, les uns menaçants, les autres résignés. Abdeljebbar, qui s'affirme de plus en plus comme le patron, les fait taire en hurlant :

280 – Ho, ho ! Laissez-moi m'expliquer avec ce type.

Hakam n'apprécie visiblement pas qu'on le traite de « type », lui qui tient entre ses mains l'avenir de ces vingt paysans.

– Quoi, qu'est-ce qu'il y a ? Vous connaissez la mer mieux que moi ? Il n'y a pourtant pas d'eau chez vous, du côté de 285 Khouribga ! Juste de la caillasse et des *cheikhates*[1], non ?

Abdeljebbar – Lahcen s'est planté à côté de lui, pour lui signifier son soutien, pour quémander[2] son amitié – ne se laisse pas démonter. Il s'approche de ce passeur qui ne semble pas avoir l'intention de passer grand-chose.

290 – Dis donc, toi, on ne t'a pas refilé toutes nos économies pour que tu nous lises le bulletin météorologique.

Cette entrée en matière plaît à tous – l'expression « bulletin météorologique » est bien connue, grâce à la télévision. Montrons à cet impudent[3] petit bonhomme que nous ne tombons 295 pas du nid ! – et ils le font savoir bruyamment.

Abdeljebbar continue, sûr du soutien des siens :

– Il n'y a pas la mer chez nous, certes, mais on a des yeux pour voir. Et qu'est-ce qu'on voit là-bas ? L'eau est calme, il n'y a que des petites vaguelettes. Ce n'est pas ça qui va nous faire 300 peur. On veut embarquer sur-le-champ ! Compris ?

Il est maintenant onze heures du matin. Hakam regarde les

---

1. Chanteuses populaires berbères.
2. Demander avec insistance.
3. Mal élevé, prétentieux.

hommes qui lui font face, il réfléchit un instant puis appelle son acolyte[1], qui est resté dans la Peugeot. Les deux hommes s'engagent dans une discussion fiévreuse en *tarifit*[2], dialecte que 305 ni Lahcen ni ses compagnons ne comprennent. Après quelques minutes, Hakam revient vers le groupe.

– C'est d'accord. Mais comme j'ai des choses à faire à al-Hoceima, c'est mon cousin Tahar qui va vous conduire en Espagne.

310 Abdeljebbar triomphe.

– Ah, ah ! Voilà pourquoi tu ne voulais pas nous faire passer aujourd'hui. Parce que tu as des affaires à régler ! Ce n'était pas la peine de nous raconter cette fable de mer agitée ou de requins dans les flots !

315 Il en rajoute, évidemment. Personne n'a parlé de requins. Mais Hakam le regarde d'un air étrangement calme, les yeux un peu éteints. Il tire une bouffée de sa cigarette en fixant Abdeljebbar des yeux.

– Tu peux croire ce que tu veux, mon frère. Bonne chance.

320 Et il tourne les talons. Il prend place dans la Peugeot, cette fois-ci dans le siège du conducteur, démarre et la voiture disparaît rapidement.

Tahar, qui ne semble pas très loquace, conduit le groupe vers une anfractuosité de la côte. Il y a là une sorte de grotte avec 325 un gros tas de lichens vert foncé qui semblent pourrir dans un

1. Compagnon.
2. Langue berbère de la région où est située Tétouan.

coin. Tahar entre dans la grotte, suivi par Abdeljebbar, Lahcen et les autres, et il commence à déblayer. Chacun s'y met et la *patera* apparaît bientôt. L'un des hommes gronde :

– Elle est trop petite, jamais nous ne pourrons tous y tenir !

330 Tahar fait un signe d'apaisement.

– Patience, patience. Elle est plus spacieuse qu'elle n'en a l'air. Et maintenant, il faut attendre. J'espère que vous avez apporté de quoi manger.

– Attendre ?

335 – Ben oui, vous ne croyez tout de même pas qu'on traverse de jour ? Il y a des gendarmes marocains partout et les garde-côtes espagnols patrouillent toute la journée. La seule chance de passer, c'est de nuit.

Les hommes s'installent dans la grotte. Certains vont 340 s'étendre sur le sable de la plage malgré les remontrances de Tahar qui craint qu'on ne les repère. Ceux qui ont pris la précaution d'emporter du pain, des olives et des dattes partagent avec les autres. À la nuit tombée, ils poussent tous ensemble l'embarcation vers la mer et y prennent place, tant bien que 345 mal. Effectivement, ils peuvent tous y tenir, mais il leur faut se serrer les uns contre les autres. Lahcen a eu le pied entaillé par un tesson de bouteille, lorsqu'il poussait la *patera* sur la plage, avec les autres. Il se rend compte maintenant qu'il saigne abondamment mais n'ose pas le dire aux autres, de peur qu'ils 350 ne l'obligent à rester sur le rivage. Qui lui rendrait ses dix mille dirhams ? Personne. Il serre les dents et se tait.

L'eau froide affleure au bord de la barque. Tahar met en

marche le moteur, un tout petit moteur qui a l'air bon pour la ferraille. Il crachote puis se met à ronronner. Voilà, ils sont partis, cap sur l'Europe ! Ils sont tous émus, excités et inquiets à la fois. Tahar leur a demandé de se taire et de baisser la tête. Sans savoir à quoi riment ces recommandations, ils obtempèrent[1].

À quelques centaines de mètres du rivage, ils se rendent compte que la mer est effectivement très agitée. Le *raïs* n'avait pas menti. Mais s'il y avait vraiment danger, aurait-il risqué la vie d'un membre de sa famille ? Lahcen, qui est assis à côté du passeur, lui demande à voix basse :

– Dis-moi, ce Hakam, c'est bien ton cousin ?

– Non, ce n'est pas mon cousin. Pourquoi ?

Une boule se forme dans l'estomac de Lahcen. Son sixième sens vient de le prévenir. Il va se passer quelque chose de catastrophique.

Une heure plus tard, il fait nuit noire et ils sont loin de tout rivage. Seules quelques lumières clignotent au loin. On les voit à peine. Soudain, une énorme vague, probablement provoquée par le sillage d'un tanker[2], frappe la barque de plein fouet, manquant la faire chavirer. Ceux qui étaient en train de s'assoupir s'éveillent en sursaut. L'embarcation est maintenant remplie d'eau et, comble de malheur, le moteur s'est arrêté. Tout tangue et on ne voit pas où finit la mer et où commence le ciel, à l'horizon. Deux des passagers se mettent à vomir, penchés

1. Ils obéissent.
2. Navire pétrolier.

par-dessus bord, en émettant d'effrayants borborygmes[1]. Le *raïs* d'occasion écope avec ses mains jointes en pestant avec fureur. Tous s'y mettent et bientôt l'eau est presque entièrement éva-
380 cuée. Tahar remet en marche le moteur. Le bateau reprend sa course, en ballottant. Abdeljebbar crie soudain au passeur :

– Arrête ! Le gars à côté de moi est évanoui !

Tahar le regarde, l'air ahuri.

– Qu'est-ce que tu veux dire, arrête ? On est en pleine mer.
385 Ça sert à quoi, d'arrêter ? Ce n'est pas ça qui va le réveiller. De toute façon, ce n'est qu'un coup de fatigue.

Abdeljebbar se rend compte de l'absurdité de sa requête et se mord les lèvres, mécontent de s'être affolé. Il se penche sur le jeune homme qui gît maintenant, inconscient, à côté de lui.
390 Il le secoue mais en vain. C'est alors qu'une vague encore plus haute que la première déferle sur l'embarcation, qu'elle submerge entièrement. Cette fois-ci, le moteur rend l'âme. Alors que le passeur essaie de le faire repartir, pendant que les autres écopent, Lahcen s'aperçoit qu'il n'y a plus personne à côté
395 d'Abdeljebbar. Il lui crie :

– Il est où, le gars qui s'était évanoui ?

Abdeljebbar et les autres sont livides. Ils regardent autour d'eux, mais doivent vite se rendre à l'évidence.

– *Allah !* Il a été emporté par la vague !

400 Un jeune garçon hurle, proche de l'hystérie :

– Qui c'était ? Quelqu'un sait-il qui il était ?

---

1. Bruits intestinaux.

Plusieurs voix murmurent, s'entremêlent.

– C'était le fils de Rahma, celle qui vend de la menthe près du tribunal, à Khouribga.

405 Pauvre Rahma. C'était son fils unique. Dans la tempête qui fait rage maintenant, une voix claire psalmodie[1] des versets du Coran. Quelques-uns des passagers reprennent à voix basse les paroles de consolation. Est-ce l'oraison funèbre[2] du fils de la vendeuse de menthe ou la leur ?

410 La barque est de plus en plus ballottée par les flots. Comme le moteur est en panne, il n'y a rien à faire qu'attendre. Mais attendre quoi ?

Une bonne partie de la nuit passe ainsi. Lorsque le jour se lève, la mer s'est un peu calmée. On ne voit pas le soleil mais on 415 le devine derrière la brume matinale. Les hommes, clignant des yeux, découvrent qu'ils sont en pleine mer, qu'on ne voit plus aucun rivage, ni celui de l'Afrique ni celui de l'Europe. Ils ont beau se tourner dans tous les sens, il n'y a autour d'eux qu'une vaste étendue bleue avec des scintillements blancs au sommet 420 des vagues, les vagues qui semblent jouer un ballet cruel à perte de vue. Cette immense nappe qui ondule sans fin les remplit d'appréhension. Un jeune homme, dont on sait seulement qu'il s'appelle Larbi et qu'il vient de Bejaâd[3], se tourne vers Tahar et lui demande :

425 – Nous sommes où ? Elle est où, l'Espagne ?

1. Récite.
2. Éloge ou prière prononcée pour un mort.
3. Ville du centre du Maroc.

Dans sa voix se mêlent l'inquiétude et la colère. Tahar secoue la tête, accablé.

– Je ne le sais pas plus que vous. Je ne sais pas où on est.

Plusieurs voix s'élèvent :

430 – Qu'est-ce qu'on doit faire ?

– Que va-t-il se passer ?

– Mets en marche le moteur !

Tahar ne répond qu'à cette dernière demande :

– J'ai essayé toute la nuit. Impossible de rien faire. Nous 435 n'avons plus de moteur.

Quelqu'un crie :

– Tu as des rames ?

Tahar ne répond même pas à cette question. La *patera* est minuscule, tout le monde peut bien voir qu'il n'y a ni rames, 440 ni canot, ni gilets de sauvetage. Qu'est-ce qu'ils s'imaginent, ces idiots ? Qu'ils sont en croisière ?

– Arrêtez de me casser la tête. Les garde-côtes vont nous ramasser ou alors les courants vont nous pousser vers la terre. Si vous avez de la chance, ce sera la côte espagnole, sinon c'est le Maroc et 445 on aura fait tout ça pour rien. On n'a plus qu'à attendre.

Toute la journée se passe dans l'attente. La barque est agitée en tous sens mais ne semble pas aller dans une direction précise. Lahcen est pris du mal de mer, qui lui soulève le cœur et lui donne une violente migraine. Son pied entaillé, qui se remet à 450 saigner de temps en temps, le fait horriblement souffrir. C'est comme si toutes ses forces s'en allaient par cette blessure qui ne se referme pas, baignée par l'eau sale mêlée de mazout. Les autres semblent être mal en point, eux aussi, mais personne ne se plaint. De temps en temps, l'un d'eux se penche par-dessus bord pour 455 essayer de vomir, pour mettre fin au calvaire. Puis il se recroqueville de nouveau dans l'embarcation, la tête sur les genoux.

Ils voient au loin des bateaux passer, des tankers, des ferrys. Après le froid de la nuit, c'est maintenant le soleil qui les aveugle et leur brûle les yeux. Vers la fin de la journée, Abdel- 460 jebbar commence à se lever et à faire des signes frénétiques des deux bras en direction des bateaux. Peine perdue. On ne les voit pas. Ou peut-être ne comprend-on pas qu'ils sont à la dérive. Les garde-côtes tant espérés maintenant ne se montrent pas. De temps en temps, des dauphins viennent en bande 465 faire des cabrioles devant la barque puis s'en vont. Lahcen est fasciné par ces animaux qu'il n'avait jamais vus de sa vie et qui semblent s'amuser pendant que lui souffre atrocement. Vaut-il moins qu'un animal ?

La nuit est maintenant tombée. De nouveau, les vagues 470 commencent à bousculer violemment la barque. Les hommes n'ont rien mangé depuis deux jours, depuis qu'ils ont quitté Khouribga, à part les dattes et les olives qu'ils ont partagées dans la grotte. Les maigres provisions qui restaient ont été emportées par les vagues. Les cigarettes et les allumettes sont 475 mouillées, inutilisables. Ils n'ont pas pensé à emporter de l'eau douce, persuadés qu'ils étaient que la traversée n'allait prendre que quelques heures.

Trois, quatre d'entre eux s'évanouissent, ou peut-être se
480 sont-ils seulement endormis, recrus[1] de fatigue. Tahar, qui commence à paniquer, ordonne d'une voix aiguë qu'on les jette à la mer. On le regarde avec horreur – il n'est qu'une ombre dans la nuit, c'est peut-être le diable –, mais il insiste, il prétend que ceux-là sont déjà morts (mais morts de quoi ?) et
485 qu'ils constituent un risque si la *patera* se fait appréhender par les Espagnols : ces derniers voudront ouvrir une enquête, s'ils découvrent des cadavres, et ils mettront les survivants en prison, en attendant la fin de l'enquête. Abdeljebbar se dresse et jure à Tahar qu'il le jettera lui-même à l'eau s'il ose encore faire une
490 telle suggestion. Le passeur murmure quelque chose entre ses dents et se recroqueville à côté de son moteur désormais inutile.

Un peu plus tard, dans l'obscurité totale et le fracas des vagues, c'est au tour d'Abdeljebbar de s'évanouir. Il glisse au fond de la barque mais l'eau glacée ne le réveille pas. Lahcen se
495 met à crier pour le ressusciter, il demande de l'aide au passeur qui ne répond rien, puis, ne sachant que faire, il prend dans ses bras Abdeljebbar et le serre contre lui. Il veut lui transmettre la chaleur de son corps pour que l'autre ne meure pas de froid. La barque remue de plus en plus, elle semble ballotter d'abord
500 puis il y a des saccades soudaines qui font perdre l'équilibre à tous ceux qui ne sont pas solidement accrochés à ses flancs. Ils sont tous trempés jusqu'aux os et il fait de plus en plus froid.

---

1. Épuisés.

Les hommes que Tahar croyait morts ont repris connaissance, mais ils sont en piètre état. Ils grelottent et tiennent des propos incohérents. Quelqu'un s'est mis à prier.

505

Lâchant Abdeljebbar qui glisse de nouveau vers le fond de la barque, Lahcen éclate soudain de rire, d'un rire effrayant, un rire de dément. L'atroce mal de tête est toujours là, qui lui vrille le crâne.

510 – Je rentre chez moi, annonce-t-il à la cantonade[1], j'en ai marre de ce bateau, j'en ai marre de ces vagues ! Au diable l'Europe.

Une voix grave murmure :

– Sois patient. Reviens à Dieu.

C'est la voix claire de l'homme qui priait tout à l'heure. 515 Lahcen, mêlant le rire et les larmes, répond :

– Dieu ? Quoi, Dieu ? Il est où, Dieu ?

Il gesticule en direction de l'eau :

– Il est là, dans l'eau ? Parce que c'est là qu'on va finir, tous ensemble, comme le fils de Rahma. (Il lève un bras vers le 520 ciel, index tendu.) Il est où, Dieu ? Là, là-haut ? Alors, Il nous regarde ? Il nous regarde nous noyer et ne fait rien ? C'est ça. Son plan ? C'est pour ça qu'Il nous a créés ?

Il brandit deux mains aux paumes largement ouvertes vers le Ciel invisible. Il hurle :

525 – Où es-Tu ? Où es-Tu ?

Seul le vent, qui souffle en rafales, lui répond. Il continue

1. Sans s'adresser à quelqu'un de précis.

de hurler :

– Où es-Tu ? Parce que moi, je suis ici ! Et Toi ?

La voix, inaudible maintenant :

530 – Reviens à Dieu.

Lahcen secoue la tête. Il se met à se taper les cuisses de ses paumes ouvertes.

– Les gars, c'est moi qui vous porte malchance. Ma tête va exploser.

535 Il rit de plus belle. Tout son corps tressaute.

– Je vous dis que j'ai la poisse. Jamais je n'ai eu de chance dans ma vie. Regardez-moi ! Il y a des gens qui sont beaux et éduqués, il y a des gens riches. Et moi, qu'est-ce que je suis ? Rien du tout ! Ni éducation, ni santé, ni argent ! Je ne suis rien.

540 – Reviens à Dieu.

– Je ne suis rien ! Et je voulais être quelqu'un… Je voulais aller en Italie ! Mais qu'est-ce que l'Italie a à faire de moi ? Regardez ma gueule : c'est une gueule à aller en Italie ? Ils n'en ont jamais vu, des têtes comme celle-ci. Je ne mérite même pas de vivre dans 545 mon trou à rat ! Je ne mérite même pas de vivre, tout court !

– Reviens à Dieu.

Lahcen hurle comme un possédé :

– Tu m'emmerdes avec ton Dieu ! S'Il descendait, maintenant, dans cette foutue barque, s'Il apparaissait devant moi, 550 je Lui cracherais au visage ! Qu'est-ce qu'Il a jamais fait pour moi, ton Dieu ? Regardez ma gueule, ma sale gueule ! C'est ça, qu'Il a créé ! Et qu'est-ce qu'Il m'a donné ? La misère, la misère tous les jours ! Et les Chrétiens ? Ils mènent la belle vie, ils

mangent bien tous les jours, ils ont des maisons confortables,
555 des vêtements neufs, des voitures ! Nous, on est dans la merde et eux dans le luxe ! C'est ça qu'Il veut, Dieu ? Et maintenant, dans cette barque… Ma tête va exploser ! Mon pied saigne ! Pourquoi le moteur s'est-il arrêté ? Pourquoi cette tempête ? Pourquoi ce froid ? Pourquoi nous tue-t-Il tous, l'un après
560 l'autre, ton Dieu ? Qu'est-ce qu'on Lui a fait ? Il nous a créés pour mieux se moquer de nous ? C'est ça, hein ? Il s'amuse avec nous, comme un chat avec des souris ? Réponds ! Réponds !

– Reviens à Dieu.

Lahcen se met à sangloter.

565 – Mes frères, c'est moi qui vous porte malchance. Dieu me hait, je ne sais pas pourquoi, je ne comprends rien. Je ne Lui ai pourtant rien fait. Tout ce que je voulais, c'est être quelqu'un… Je vais rentrer chez moi, à pied. Bonne chance à tous, envoyez-moi des cartes postales de l'Italie. Et toi, cesse de me parler de
570 Dieu. Regarde-moi : si Dieu peut tout, alors je vais marcher sur l'eau et je vais rentrer chez moi, jusqu'à Khouribga.

Lahcen se redresse, enjambe le flanc du bateau et se met à marcher sur l'eau. C'est du moins ce qu'il croit. En fait, il est tombé comme une pierre dans l'eau sombre qui l'a englouti
575 instantanément et s'est refermée. Personne n'a eu le temps de le retenir. De toute façon, on n'y voit goutte. Dans l'agitation qui s'ensuit, Abdeljebbar revient à lui. Que se passe-t-il ? Quelqu'un lui dit à voix basse que son ami est tombé à l'eau et s'est noyé.

– Quel ami ? Ah, le petit Noir… Le pauvre. En fait, je ne le
580 connaissais même pas. Quelqu'un le connaissait-il ?

Une voix mal assurée répond :

– Je crois qu'il s'appelait Lahcen. C'était le fils du gardien de l'hôtel de Khouribga. Le pauvre, il n'a jamais eu de chance.

La voix qui psalmodiait des prières intervient :

585 – C'est pire encore : il est mort en ennemi de Dieu. Aucun pardon possible.

Abdeljebbar murmure :

– Tais-toi, tu n'en sais rien. Dieu est miséricordieux. Il peut tout pardonner.

590 Au petit matin, les gardes-côtes espagnols interceptèrent la *patera*. Ils hissèrent à bord ses occupants, transis de froid, et leur donnèrent des couvertures, du café et du pain avec des tomates et du fromage. Un des gardes-côtes prit un carnet de notes et un stylo et nota le nombre des hommes et leur âge approxi-
595 matif. Ce n'était pas la peine de leur demander leurs noms, ils répondraient n'importe quoi. Quant aux papiers d'identité, ceux qui tentaient la traversée du détroit n'en avaient jamais sur eux. Il demanda en arabe – un arabe très rudimentaire – s'ils étaient tous là, si personne n'était mort pendant la traversée.
600 Dûment instruits par Tahar, au moment où ils avaient vu les gardes-côtes arriver, les hommes emmitouflés dans les couvertures répondirent d'une seule voix :

– Nous sommes tous là. Il ne manque personne.

Abdeljebbar répéta d'une voix forte :

– Personne.

Après-texte

POUR COMPRENDRE

GROUPEMENT DE TEXTES

INFORMATION/DOCUMENTATION

Lire

1 Quelle est la personne grammaticale utilisée par le narrateur au début de la nouvelle ? Pourquoi, selon vous ? Ce procédé est-il courant ?

2 De quelle façon le village d'Abanga est-il présenté dans les premières pages de la nouvelle ? Donnez trois justifications à votre réponse.

3 P. 14, l. 102-103 : « Un long séjour dans l'eau ne transforme point un tronc d'arbre en crocodile. » Pour quelle raison trouve-t-on des guillemets pour cette phrase ? Quelle signification donnez-vous à ce proverbe ?

4 Pour quelles raisons les villageois sont-ils surpris quand ils voient leur futur chef revenir de la ville ?

5 Comment la relation qu'entretient le chef avec sa petite amie est-elle perçue par les villageois ? Pourquoi ?

6 Quels sont les différents changements introduits par le jeune chef dans la vie du village ? Quelles sont les réactions des habitants ? Réagissent-ils tous de la même façon ?

7 Pour nous faire comprendre les raisonnements des villageois, François Nkémé utilise parfois le discours indirect libre (voir l'encadré *À savoir*, p. 115). Donnez trois exemples précis.

8 Le jeune chef décide d'interdire l'African gin. Quelles sont les conséquences de cette interdiction ? Quels sont les arguments des notables pour justifier la consommation d'alcool fort ?

9 Pour quelle raison principale la gendarmerie intervient-elle dans le village ? Comment qualifieriez-vous cette intervention ?

10 Quelle est la raison qui pousse le sorcier à intervenir ? Comment comprenez-vous la maladie qui touche le jeune chef et comment interprétez-vous la fin de la nouvelle ?

Écrire

11 Inventez un récit qui illustrera le proverbe africain cité : « Un long séjour dans l'eau ne transforme point un tronc d'arbre en crocodile. »

12 Le jeune chef veut introduire des changements, alors que certains villageois veulent conserver leurs traditions. Quel camp choisiriez-vous si vous deviez vivre dans ce village ? Essayez de justifier votre point de vue avec trois arguments.

Chercher

13 Le mot « macadam » est devenu un nom commun par antonomase.

Que signifie le terme « antonomase » ? Connaissez-vous d'autres exemples d'antonomase en français ?

14 Selon vous, pour quelle raison François Nkémé a-t-il choisi le mot « tragédie » dans le titre de cette nouvelle ?

À SAVOIR

LA NOUVELLE

Une nouvelle est un récit en prose souvent fictif et parfois autobiographique. Si la longueur d'une nouvelle est variable, elle se définit toutefois par son volume plus réduit que celui d'un roman. Paul Bourget, au début du XXe siècle, résumait ainsi l'opposition entre les deux genres : la matière de la nouvelle est « un épisode, celle du roman une suite d'épisodes. Cet épisode que la nouvelle se propose de peindre, elle le détache, elle l'isole. Ces épisodes dont la suite fait l'objet du roman, il les agglutine, il les relie. Il procède par développement, la nouvelle par concentration. [...] Elle est un solo. Le roman est une symphonie ».
Cette **concentration de l'intrigue et du texte**, proposée par la nouvelle, doit permettre une lecture d'un seul jet, selon André Gide et Edgar Poe. « L'absence d'interruption permet à l'auteur de mettre intégralement son dessein à exécution. Pendant l'heure que dure la lecture, l'âme du lecteur demeure sous la coupe de l'écrivain » écrit Edgar Poe dans *L'Art du conte.* La lecture ininterrompue favorise ainsi l'intensité de l'illusion et de la projection pour un lecteur plus facilement captivé.
La différence de volume avec le roman traditionnel permet un resserrement de l'action autour de quelques personnages et d'événements limités. Contrairement au roman qui peut développer et croiser les intrigues tout en multipliant le nombre de personnages, une nouvelle se concentre en général sur **un ou deux personnages** et préfère l'**intrigue unique**. Elle affectionne les moments de crise, les conflits, les rencontres inattendues et les événements révélateurs qui vont éclairer les drames et les joies d'une vie, celle du personnage principal. Et l'on peut repenser à cette remarque de William Faulkner en lisant les nouvelles francophones de ce recueil : « Une nouvelle, c'est la cristallisation d'un instant arbitrairement choisi où un personnage entre en conflit avec un autre personnage, avec son milieu ou avec lui-même. »

Lire

1 Quel est le changement grammatical qui s'opère entre le premier et le deuxième paragraphe ? Quel changement de voix narrative (voir encadré *À savoir* ci-contre) traduit ce déplacement ?

2 Qu'est-ce que la nostalgie ? Citez une phrase, issue des premières pages de la nouvelle, qui pourrait illustrer ce sentiment.

3 Les premiers moments de la relation entre Irma et Romain sont qualifiés d'« histoire douce-amère ». Quels sont les éléments qui suscitent l'amertume ou l'inquiétude chez Irma ?

4 À quel moment la solitude d'Irma est-elle évoquée pour la première fois ? Après lecture de la nouvelle, vous direz si ce thème revient dans le texte.

5 Dans quelle église le couple se marie-t-il ? Pourquoi ce lieu a-t-il une valeur symbolique ?

6 Peut-on dire que Romain a eu une enfance protégée ? Quelle relation voyez-vous entre son éducation et l'attitude qu'il a ensuite dans son foyer ?

7 Quel est le premier dialogue retranscrit entre les époux ? Que révèle cet échange ?

8 Quelles sont les étapes dans l'évolution du comportement de Romain tout au long de la nouvelle ?

9 Quelles sont les métaphores et les comparaisons utilisées pour décrire la situation d'Irma dans son couple ?

10 Irma « soliloque ». Après avoir expliqué l'étymologie de ce mot, vous direz pourquoi Irma en est réduite à « soliloquer ».

11 Que représente le jardin pour Irma ? Citez une phrase qui résume le sentiment d'Irma.

12 De quelle façon le mari meurt-il ? Est-ce, selon vous, un accident ou un meurtre ? Citez deux indices précis qui permettent de répondre.

13 Qu'appelle-t-on une nouvelle à chute ? Est-ce le cas de ce texte ?

Écrire

14 Le premier dialogue entre Irma et Romain tourne court. Imaginez qu'Irma réponde et que le dialogue se poursuive.

15 Imaginez le compte-rendu factuel que pourrait faire un journaliste après la découverte du mari mort. Vous rédigerez un maximum de quinze lignes en veillant à bien respecter les contraintes imposées par la rédaction d'un article de journal.

16 Vous êtes avocat(e). Imaginez les arguments que vous pourriez employer pour défendre votre cliente accusée de meurtre.

Chercher

17 Les violences conjugales font chaque année des victimes. Quels sont les recours légaux proposés aux femmes maltraitées ?

À SAVOIR

LA VOIX NARRATIVE

Un auteur qui écrit une histoire doit choisir **un narrateur ou plusieurs** pour la raconter. Il faut distinguer l'auteur, c'est-à-dire la personne physique qui écrit le livre, le signe de son nom ou d'un pseudonyme, possède sa propre biographie et le narrateur qui va raconter les événements d'un roman ou d'une nouvelle. Le narrateur est la plupart du temps une invention de l'auteur, sauf dans le genre autobiographique où l'auteur se fait le narrateur particulier de sa propre vie. Pour bien saisir la différence entre l'auteur et le narrateur, il suffit de penser à certains genres particuliers comme le roman historique ou le roman de science-fiction. Dans ces deux cas, les narrateurs nous décrivent des mondes anciens ou futurs, inaccessibles pour l'auteur.

Un auteur a le choix : soit il conserve tout au long de son texte le même narrateur, soit il propose des variations. Certains textes utilisent en effet plusieurs narrateurs pour raconter une histoire. C'est le cas dans la nouvelle « Meurtre dans un jardin ». Le changement de voix narrative s'opère à plusieurs reprises dans le texte : il permet d'entendre la voix d'Irma et de mieux percevoir son point de vue (voir encadré *À savoir* p. 111). Le début du texte propose une narration à la troisième personne par un narrateur extérieur à l'histoire : « Irma se regardait dans le miroir. » Si ce narrateur est extérieur, c'est qu'il n'intervient jamais comme personnage dans l'histoire. Il raconte et commente parfois les événements. Dans le second paragraphe de la nouvelle, c'est Irma qui prend la parole et assume le récit. L'utilisation du pronom personnel « je » est la première trace de ce changement de narrateur pour le lecteur.

L'alternance de voix permet un double niveau d'analyse psychologique pour un personnage et peut susciter un sentiment d'intimité ou d'empathie plus fort pour le lecteur. En effet, entendre la voix du personnage, c'est devenir son confident intime, c'est entendre sa souffrance et ses réflexions personnelles.

Lire

1 Quelle est la religion de Mariana ? Donnez trois indices qui vous permettent de répondre.

2 Relevez les indications temporelles données dans la nouvelle et établissez la chronologie précise de la matinée vécue par Mariana.

3 Quels sont les personnages cités dans cette nouvelle ? Peut-on établir une opposition entre le comportement des personnages masculins et féminins ?

4 Relevez quatre verbes au subjonctif dans la nouvelle et expliquez leur présence.

5 Quelle est l'activité professionnelle de Mariana ? Pour quelle raison principale manque-t-elle d'argent le jour où son fils est malade ?

6 Mariana se plonge dans la Bible. Les deux citations des Psaumes intégrées au récit sont-elles rassurantes pour elle ? Pourquoi ?

7 Quels sont les différents contretemps qu'elle doit affronter sur le chemin de l'hôpital ?

8 Quelle est l'attitude du médecin quand il la reçoit avec son enfant ? Relevez les expressions qui vous permettent de répondre plus précisément.

9 Comment comprenez-vous l'attitude de Mariana dans le dernier paragraphe de la nouvelle ?

Écrire

10 Imaginez la conversation téléphonique que pourrait avoir Mariana avec le père de son enfant avant de se rendre à l'hôpital. Quelles sont les différentes versions possibles ?

11 « Je m'insurge contre la corruption, contre la violence, contre l'abus de pouvoir » déclare Édouard Elvis Bvouma. Cette nouvelle peut-elle illustrer cette déclaration ? Pourquoi ?

Chercher

12 Quels sont les points communs que vous pouvez établir entre cette nouvelle et le texte d'Emmanuel Dongala (pages 67 à 77) ?

Oral

13 L'auteur de « Mariana » a publié un recueil de nouvelles intitulé *L'Amère Patrie*. Seul ou avec un autre élève, préparez un exposé sur ce recueil.

14 Dans un entretien consacré à son roman *L'Épreuve par neuf*, l'auteur déclare que « la réalité est sa source d'inspiration ». Pensez-vous que la littérature doive s'inspirer de la réalité ou s'en éloigner ? Répartissez la classe en deux groupes, chaque groupe défendant un point de vue. Vous présenterez trois arguments pour illustrer la thèse choisie par chaque groupe.

À SAVOIR

LES TROIS POINTS DE VUE

Aux questions « qui parle ? » et « qui raconte ? » dans un ouvrage de fiction (la voix narrative), il faut ajouter une autre question : « qui voit dans une scène, qui perçoit ? » C'est ce qu'on appelle le point de vue ou la focalisation.

Quand l'action est vue par un narrateur extérieur qui nous décrit les pensées intimes, les projets, les plans, les doutes d'un personnage, on parle de **narrateur omniscient**. Ce narrateur connaît l'histoire et les sentiments de son personnage : il sait tout de lui. Ce type de point de vue nous fait entrer dans la tête du personnage, dans sa psychologie. Dès le début de la nouvelle « Ave Mariana », on le retrouve dans des expressions qui nous dévoilent la chronologie des événements (« elle était à genoux depuis une heure »), les intentions du personnage (« elle glissa un doigt sur le sol pour s'assurer que celui-ci… ») ou ses sensations (« des grains de poussière qui commençaient à lui faire une sensation désagréable aux genoux »).

Lorsque le narrateur décrit simplement les actions de son personnage sans nous livrer ses pensées intimes, quand il regarde le personnage agir, on parle de **point de vue externe.** Le narrateur se fait ici simple témoin et suggère les angoisses ou les sentiments de son personnage en montrant ses gestes. Le narrateur regarde son personnage comme une caméra le ferait et le lecteur fait le lien entre ce qu'il voit et ce qu'il devine des réflexions du personnage. Ce mode narratif externe laisse la place à la suggestion, au mystère.

Enfin, le narrateur peut épouser le regard d'un personnage et nous décrire l'action à travers son point de vue partiel. C'est ce qu'on appelle le **point de vue interne**. Plusieurs techniques sont alors possibles :

– soit le personnage est le narrateur à la première personne ;

– soit nous entrons dans la conscience du personnage grâce notamment au discours indirect libre ;

– soit le narrateur épouse le regard de son personnage.

Lire

1 Après la lecture intégrale de la nouvelle, dites quels sont vos sentiments et réactions. Justifiez votre point de vue.

2 Quelle est la chronologie exacte de cette journée pour Augustine ? Combien de temps attend-elle avant d'être reçue ? Combien de temps passe-t-elle face au responsable du bureau ?

3 Que savons-nous sur Augustine ? Quelle est son activité habituelle ?

4 Comment qualifieriez-vous l'attitude du fonctionnaire qui reçoit Augustine ? Justifiez votre appréciation en étudiant le dialogue et la description du personnage.

5 Ce texte a une portée satirique. Après avoir expliqué ce qu'est une satire, vous justifierez votre réponse et expliquerez qui fait l'objet de cette satire dans ce texte.

6 À plusieurs reprises, le narrateur omniscient nous présente les pensées intimes et les sentiments du personnage (voir l'encadré *À savoir* ci-contre). Donnez trois exemples nouveaux dans le texte.

7 Citez deux passages dans lesquels l'auteur utilise le discours indirect libre (voir l'encadré *À savoir* p. 115). À quoi sert ce procédé ?

8 Peut-on dire que ce texte est un texte « engagé » ? Qu'est-ce que la littérature engagée ?

Écrire

9 Racontez la journée suivante de la vie d'Augustine. Elle est reçue par un nouvel employé, qu'elle décrit.

10 Résumez la nouvelle en une dizaine de lignes.

11 Imaginez qu'une femme résiste et se révolte un jour contre la violence des douaniers. Imaginez le discours qu'elle pourrait tenir aux douaniers.

Chercher

12 Le livre d'Emmanuel Dongala intitulé *Johnny chien méchant* a été adapté au cinéma. Quel est le litre du film et quel est son sujet ?

Oral

13 Voici ce que déclarait Albert Camus en 1957 à propos des écrivains : « [...] Notre seule justification, s'il en est une, est de parler, dans la mesure de nos moyens, pour ceux qui ne peuvent le faire. » Quelles sont les nouvelles du recueil qui pourraient illustrer cette idée ? Pourquoi ?

À SAVOIR

LA TRANSPARENCE INTÉRIEURE ET L'EMPATHIE

Dans un ouvrage de fiction, un narrateur omniscient peut nous dévoiler les pensées et les interrogations d'un personnage comme si son intimité était transparente. Dans la nouvelle d'Emmanuel Dongala, le narrateur omniscient nous explique à plusieurs reprises les pensées d'Augustine Amaya. Il utilise alors des verbes de sentiment ou de pensée comme : « hésiter », « penser », « vouloir », « croire », « savoir », « décider », « prier », « comprendre », etc. Voici quelques exemples (il y en a plus d'une quinzaine dans la nouvelle) :

– « elle caressa les trois pièces métalliques de vingt-cinq francs CFA, les fit sonner dans sa main, hésita un instant, et puis tant pis, elle décida de prendre un "foula-foula" » (p. 68, l. 11-14) ;

– « Amaya pria intérieurement pour que tout se passât bien ; sinon c'était la famine pour sa grande famille. » (p. 74, l. 147-149).

Cette description de la vie intérieure du personnage, cette introspection menée par un narrateur omniscient, nous font découvrir et vivre les angoisses, les attentes, les désirs, les réflexions d'un personnage de fiction. Cela nous permet de mieux comprendre son univers et provoque une certaine **empathie** avec le personnage. L'empathie est la capacité à éprouver les sentiments, les émotions, les angoisses d'une autre personne. En lisant l'histoire d'Augustine Amaya, nous partageons ses angoisses. Nous éprouvons des sentiments d'indignation, de compassion, d'injustice, etc. Pendant un moment, nous faisons abstraction de notre propre monde, nous suspendons nos propres angoisses pour nous décentrer et nous projeter dans un autre contexte.

Pour certains intellectuels (Edgar Morin et Boris Cyrulnik par exemple), cette empathie est un **fondement de la morale** et nous rend plus **humain**. Elle se cultive avec la lecture. C'est l'idée qu'ils développent dans un entretien, *Dialogue sur la nature humaine*. Lire, c'est en effet s'entraîner à se mettre à la place d'un autre, sortir de son univers propre pour comprendre d'autres destins, d'autres contextes. La littérature propose des voyages dans des univers mentaux et dans des mondes très variés. Elle est donc irremplaçable pour accéder à « l'humain » dans toute sa complexité et dans toute sa diversité. On peut l'espérer : se mettre à la place d'un autre développe la tolérance, le sentiment de solidarité, toute cette intelligence de l'autre que l'on peut aussi nommer « culture ».

Lire

1 Selon vous, pour quelle raison le narrateur écrit-il que Lahcen a « une tête de victime » ?

2 Dans les deux premiers paragraphes, relevez les mots ou les expressions péjoratives utilisées pour brosser le portrait physique et moral de Lahcen.

3 Pourquoi Lahcen ressent-il de la mélancolie quand il regarde les portraits affichés chez le coiffeur ?

4 Le titre de la nouvelle apparaît dans le dialogue entre Lahcen et son père. Que signifie-t-il ? À quel moment revient-il dans la nouvelle ?

5 Que révèle ce dialogue ? Comment comprenez-vous l'attitude du fils ? Comment qualifieriez-vous l'attitude du père ?

6 Quels sont les différents mots qui désignent le continent européen dans la nouvelle? Que révèlent-ils ?

7 Quelle est l'attitude de Riffi à l'égard de ses « clients » ?

8 De quelle façon le premier passager de l'embarcation meurt-il ?

9 Lahcen interpelle Dieu et se révolte. Quelles sont les étapes de son discours final ? Pourquoi se révolte-t-il ?

10 Quelles sont les deux réactions opposées à son discours ? Comment les comprenez-vous ?

11 Quel mot achève la nouvelle ? Pour quelle raison, selon vous ?

Écrire

12 Imaginez un dialogue entre Lahcen et son père. Ce dernier tente de le dissuader d'aller en Europe en utilisant tous les arguments qu'il peut. Vous veillerez à insérer deux passages descriptifs dans votre dialogue.

13 Lahcen est en butte aux moqueries de ses camarades. Imaginez une scène dans laquelle un élève prendra sa défense.

Chercher

14 Où est située la région de Khouribga au Maroc ? Consultez une carte du Maroc pour répondre. Pour quelle raison certains hommes de cette région émigrent-ils en Europe ?

15 Renseignez-vous sur le film de Moussa Touré intitulé *La Pirogue*. Dites en quoi ce film peut se rapprocher de la nouvelle de Fouad Laroui.

16 Qui est Job dans la Bible ? Que symbolise-t-il ? Quel rapprochement peut-on établir entre ce personnage et notre nouvelle ?

À SAVOIR

LE DISCOURS INDIRECT LIBRE

Pour retranscrire les pensées d'un personnage, un écrivain dispose de plusieurs procédés. Il peut nous rendre cette intériorité transparente grâce à un narrateur omniscient, on l'a vu (« Les yeux de Lahcen se posent parfois sur Richard Burton, Farid al-Atrach ou George Clooney. Ils s'emplissent alors d'une ombre de mélancolie », p. 82, l. 59-61). Il peut aussi faire entendre la voix et les pensées du personnage en les insérant dans son récit à la troisième personne. On glisse alors vers une focalisation interne qui nous plonge dans les réflexions du personnage, dans son monologue intérieur. C'est ce que les grammaires appellent le discours indirect libre : celui-ci permet d'introduire les paroles ou les pensées d'un personnage dans un récit sans l'interrompre.

Prenons un exemple simple pour montrer la différence entre les différents types de discours. Le discours direct cite les propos tenus et les distingue clairement du récit par des marques typographiques claires :

Pierre se précipita vers son ami : « Bravo lui lança-t-il ! C'est génial, tu as réussi. »

Le discours indirect libre élimine à la fois les verbes d'énonciation du discours indirect et la ponctuation du discours direct pour faire entendre la voix de Pierre. Les pensées ou les propos ne sont plus séparés par des guillemets, ils sont intégrés au récit :

Pierre se précipita vers son ami. Bravo ! C'était génial ! Il avait réussi !

Un exemple pris dans la nouvelle « Être quelqu'un » permet de comprendre comment on glisse progressivement dans le discours indirect libre et le monologue intérieur : « *Raïs* ? Que d'honneur pour une crapule qui profite de notre malheur, pense-t-il d'abord. Puis il se ravise. » (p. 87, l. 175-176). La référence au verbe d'énonciation (pense-t-il) et le commentaire du narrateur (il se ravise) montrent que nous sommes sous le contrôle d'un narrateur omniscient. Mais, dans les lignes qui suivent, celui-ci s'efface et on a l'impression d'entendre les pensées intimes de Lahcen : « C'est normal que le passeur profite, après tout : il n'a rien demandé, c'est nous qui sommes demandeurs. Et il nous rend un service énorme. [...] Finalement, la vie n'est rose pour personne. Quel foutu monde... » (p. 87, l. 176-182).

NOUVELLES AUTOBIOGRAPHIQUES DU QUÉBEC

Avec plus de sept millions de francophones, le Canada et en particulier la province de Québec tiennent une place de choix dans la francophonie. La vitalité, la richesse et l'originalité de sa littérature francophone, surtout depuis la libéralisation politique et culturelle des années 1960, en témoignent. La défense de la langue française et d'une littérature québécoise originale a souvent été considérée comme un signe de cette résistance à l'uniformisation culturelle et à l'hégémonie des produits culturels anglo-saxons.

Sous Louis XV, le pouvoir politique français abandonne la plus grande colonie française de l'époque aux mains des Anglais. Le traité de Paris, en 1763, consacre ce transfert de pouvoir. Louis XV préfère conserver et exploiter le sucre des colonies antillaises. Le territoire canadien appelé « Nouvelle-France » compte six cent mille francophones contre cinq cent mille anglophones à cette date. Explorées d'abord par Jacques Cartier en 1534, puis par Samuel de Champlain qui fonde la ville de Québec en 1608, les contrées canadiennes sont colonisées par des aventuriers qui vont négocier des fourrures et développer le commerce. Ils se mêlent aux différentes ethnies indiennes qui peuplaient jusque-là ces immenses territoires (Hurons, Iroquois, Algonquins, Cris, Micmacs…). Ce sont les héritiers de ces premiers aventuriers qui vont maintenir, contre vents et marées, la tradition francophone au Canada.

Malgré le rattachement à la couronne d'Angleterre, le

Canada reste coupé en deux. Les anglophones sont plus nombreux mais les francophones tiennent à leur autonomie culturelle. Dans les années 1960, le nationalisme québécois se réveille et la défense de la langue française devient un enjeu politique contre l'assimilation anglo-saxonne et l'anglicisation. Plusieurs lois vont promouvoir la diffusion et l'enseignement de la langue française dans la province de Québec.

L'écrivain Michel Tremblay est contemporain de cette revendication francophone forte, de la libéralisation des mœurs et du renouvellement des formes culturelles qui caractérisent les années 1960. Il connaît son premier grand succès au théâtre, en 1968, avec une pièce intitulée *Les Belles Sœurs*. Dans ce spectacle il met en scène des gens modestes de Montréal (milieu dont il est lui-même issu) et restitue toute la verdeur et la puissance de leur langage populaire (le joual). C'est une véritable révolution esthétique qui lui vaut une renommée immédiate.

À partir de 1978, il développe un cycle romanesque (qui comprend actuellement six volumes) situé dans le quartier de son enfance : *Les Chroniques du Plateau Mont-Royal.* Dans les années 1990, il entreprend un cycle de récits autobiographiques qui comporte actuellement quatre volumes. Ces ouvrages sont organisés sous forme de nouvelles et rassemblent ses souvenirs d'enfance dans sa famille (*Bonbons assortis*), ses premières expériences théâtrales (*Douze coups de théâtre*), ses premières émotions cinématographiques (*Les Vues animées*) ou littéraires (*Un ange cornu avec des ailes de tôle*). C'est ce travail que nous proposons de découvrir.

Michel Tremblay (né en 1942)

« Le Cadeau de noces », *Bonbons assortis*, © Leméac/Actes Sud, 2002.

Bonbons assortis est un recueil de huit nouvelles dans lesquelles Michel Tremblay raconte quelques souvenirs émouvants et amusants de son enfance heureuse et démunie dans un quartier populaire de Montréal (le Plateau Mont-Royal). Les parents de Michel et leurs enfants cohabitent avec la tante, les oncles, les cousines et la grand-mère dans une promiscuité obligée qui entraîne pas mal de disputes. Dans la nouvelle intitulée « Le Cadeau de noces », la famille se retrouve fort embarrassée. Une voisine se marie et les caisses sont vides. Il faut donc trouver une solution pour offrir un cadeau digne de l'événement. La mère de Michel, personnage truculent et théâtral, a alors une idée : offrir le plat de pinottes (cacahuètes) qu'elle-même et son mari ont reçu en cadeau de mariage !

Maman rouvrit le vaisselier et en sortit un petit plat de verre.

« Pas ton beau plat à pinottes !

– Pas votre beau plat à pinottes ! »

Elles avaient parlé en même temps, sur le même ton de désespoir, et ma mère leur fit signe que oui, un petit oui piteux qui contenait, qui soulignait surtout, qui le sublimait presque, le grand sacrifice qu'elle était sur le point de faire.

« Faut ben faire quequ'chose… Si on donne rien à c'te fille-là pour son mariage, ses parents nous regarderont pus jamais ! On va passer pour

des sauvages ! On va passer pour des ignorants ! On va passer pour des sans-dessein ! »

C'était un plat rond en verre taillé vert pâle muni d'une petite cuiller, plutôt laid, que mes parents avaient reçu en cadeau de noces, vingt ans plus tôt, et qui avait toujours servi à contenir des cachous, des noix de Grenoble ou de simples pinottes salées lors des grands événements, partys d'anniversaire, fiançailles, soupers des fêtes ou autres importantes réunions de famille. S'il y avait plus de six invités, le plat de pinottes était retiré de sa tablette et brandi comme une preuve de richesse ou, du moins, de relative aisance. Il trônait au milieu de la petite table du salon, entouré de contenants moins fancy (le verre taillé était rare, à l'époque, dans les maisons d'ouvriers) que ma mère avait remplis jusqu'à ras bord d'olives vertes fourrées au piment rouge ou de branches de céleri garnies de fromage Pimento. Ma tante Berthe, qui avait donné ce plat à mes parents, ne manquait d'ailleurs jamais l'occasion de s'écrier au beau milieu des fêtes de famille : « Mon Dieu, Rhéauna, que t'as un beau plat à pinottes ! » On l'avait cent fois retrouvé par terre, son contenu répandu sur le tapis du salon ou le prélart de la salle à manger, jamais cassé, au grand dam de mon père qui, allez savoir pourquoi, l'avait toujours détesté et qui s'exclamait chaque fois qu'il avait à le ramasser : « Y est pas tuable, c'te maudit plat-là ! »

Michel Tremblay

« Mister Joe », *Les Vues animées*, © Leméac/Actes Sud, 1995.

Dans le recueil *Les Vues animées*, Michel Tremblay raconte ses premières émotions cinématographiques à une époque où les salles sont rares. Le cinéma est une sortie exceptionnelle pour un enfant du Plateau Mont-Royal. Dans cette nouvelle, Michel Tremblay évoque le premier film auquel il a pu assister avec son grand frère Bernard. Il n'a que cinq ou six ans et son frère l'emmène voir un film d'horreur de série B, *Mister Joe*. Quarante ans plus tard, il se souvient parfaitement de la terreur éprouvée ce jour-là !

Je n'ai qu'un seul souvenir de cet après-midi, une seule image qui me revient assez souvent, même quarante ans plus tard, parce que c'est sûrement un des moments les plus intenses et les plus violents de toute ma vie.

C'est la nuit, une femme dort sur le dos. À côté de son lit, une fenêtre est ouverte. Me voyez-vous venir ? Le vent fait bouger les rideaux tout doucement, l'ombre d'une branche d'arbre se balance. Le pire des clichés pour un film d'horreur mais une image tout à fait innocente pour un enfant qui n'est jamais allé au cinéma et qui ne sait pas du tout ce qui l'attend. Je suis assis sur le bout de mon siège de bois que je fais couiner parce que je trouve le film ennuyant à mourir, et je regarde l'écran d'un œil plutôt distrait. Bernard m'a dit que c'est là qu'il faut regarder, sur cette grande guénille blanche-là qui va s'animer, que ça va être bien beau même si c'est en anglais, mais rien dans ce que j'ai vu ne m'a encore vraiment intéressé. La seule chose qui me chicote c'est de savoir comment ils ont fait pour enlever les couleurs aux murs, au lit, aux rideaux, aux personnages (il faut se rappeler que je ne sais même pas ce que c'est que le cinéma, que je suis donc confronté au noir et blanc pour la première fois) et je m'apprête à le demander à mon frère. Mais quelque chose attire mon attention. Est-ce que j'ai vraiment vu une ombre se profiler dans la fenêtre ? Mon cœur s'arrête de battre. Un plan sur la femme qui dort toujours, parfaitement confiante, parfaitement belle dans son sommeil. La salle s'est tue ; je ne suis donc pas le seul à me douter de quelque chose. J'ai arrêté de faire couiner mon banc. Encore ! Cette fois j'en suis sûr. Quelque chose, quelqu'un, se tient derrière la fenêtre, peut-être en équilibre sur la branche d'arbre qui continue innocemment son va-et-vient… Quelqu'un de trapu, de gros, parce que la silhouette est toute courbée. À moins que ce soit un monstre accroupi en petit bonhomme pour mieux bondir ! Je veux tirer mon frère par la manche, lui demander s'il a vu la même chose que moi lorsque les rideaux se séparent pendant que la femme bouge pour se tourner sur le dos.

Horreur sans nom !

Un gorille deux fois gros comme un homme entre dans la chambre sans faire de bruit et se penche sur le lit de la femme.

Le monde au complet bascule. Je ne suis plus qu'une bouche ouverte, un cri strident, l'expression même de la peur. Je suis debout devant mon siège, raide comme une barre, et je hurle. La salle aussi a crié mais moi je continue après tout le monde, après la fin de la scène, après que la femme dans le film a perdu connaissance en voyant le gorille sur le point de la renifler. Je suis convaincu que je ne pourrai plus jamais m'arrêter de crier. Les autres enfants, tous plus vieux que moi, vite revenus de leur moment de terreur, qui auraient même tendance à en rire maintenant que c'est passé, me regardent, d'abord étonnés et amusés, puis se mettent à me crier de me taire parce que je dérange la projection.

Michel Tremblay

« La Tour Eiffel qui tue », *Douze coups de théâtre*, © Leméac/ Actes Sud, 1992.

Michel Tremblay doit sa renommée d'abord au théâtre. Dès 1964, alors qu'il a vingt-deux ans, il remporte le premier prix du concours des jeunes auteurs dramatiques organisé par Radio Canada (avec une œuvre intitulée *Le Train*). Ce sera le début d'une œuvre théâtrale très riche et très fournie. Dans son recueil *Douze coups de théâtre*, il raconte avec humour la naissance de cette passion, ses premières expériences de spectateur et ses débuts d'auteur. Dans « La Tour Eiffel qui tue », il assiste pour la première fois à une pièce dans un théâtre en plein air et il découvre la magie d'une mise en scène suggestive (proposée par Paul Buissonneau).

Paul Buissonneau me donna ce soir-là l'une de mes plus grandes leçons de théâtre : il m'apprit la signification et la magie de la transposition.

Ce qui nous était présenté alors à la télévision, les deux téléthéâtres que je regardais avec passion toutes les semaines ou les déjà nombreux téléromans, était très peu ou pas du tout transposé ; les décors, les costumes, les accessoires étaient réalistes : le samovar des Russes se voulait un vrai samovar, les costumes des Grecs s'inspiraient des livres d'histoire, le décor de *La Ménagerie de verre*, une réplique des maisons de La Nouvelle-Orléans des années trente, la cuisine de *La Famille Plouffe*, presque notre cuisine à nous. J'avais donc été habitué à croire au premier degré ce que j'avais sous les yeux. Mais ce soir-là, Paris et sa faune s'animèrent devant moi avec des moyens tellement inattendus, à l'aide de filtres, de trouvailles, de subterfuges si drôles et si efficaces, que j'en

fus littéralement galvanisé. Tout m'était suggéré plutôt qu'imposé et les images qu'on m'offrait étaient nouvelles en plus d'être superbes ! On ne se contentait pas d'essayer de représenter Paris, on la réinventait à partir de presque rien.

Le décor et une grande partie des accessoires étaient faits en séchoirs à linge de bois extensibles pourtant bien familiers : la tour Eiffel elle-même s'étirait, s'étirait, à la fin du spectacle, jusqu'à dépasser le cadre de scène et défoncer le ciel ; les fiacres étaient des acteurs à qui on avait passé un attelage en séchoir à linge recouvert d'un papier goudron dans lequel on avait découpé une fenêtre ovale ; des patères servaient de lampadaires pour les prostituées, les colonnes Morris valsaient, des parapluies devenaient un orage électrique, un mur, les roues d'un carrosse… La scène se vidait et se remplissait en quelques secondes ; on changeait de lieu sans s'en apercevoir ou, plutôt, *dans le ravissement de s'en apercevoir* ! La machinerie théâtrale devenait un personnage essentiel aussi intéressant que les êtres humains qui déambulaient sur la scène. Pour la première fois de mon existence, je ne croyais pas ce que je voyais, je jouais à y croire ! Moi, habitué au cinéma où tout m'était mâché d'avance, les plans choisis, calculés, les gestes composés de façon à servir l'image, j'étais ici obligé de tout repenser moi-même, de tout rebâtir au fur et à mesure pour bien comprendre, et j'étais enchanté.

Michel Tremblay

« Agamemnon », *Un ange cornu avec des ailes de tôle*, © Leméac/ Actes Sud, 1994.

Un des frères de Michel Tremblay est devenu professeur et il décide de s'abonner à une maison d'édition française qui lui envoie une dizaine d'ouvrages par an. Il offre à Michel, alors âgé de quinze ans, un volume comprenant les trois tragédies de l'auteur grec Eschyle (*Agamemnon*, *Les Choéphores*, *Les Euménides*). Michel découvre alors la première de ces pièces :

Je lus trois ou quatre fois de suite le premier monologue du veilleur posté sur les remparts d'Argos avant de bien saisir tout ce qu'il contenait : j'allai consulter mon Larousse pour les mots *Atrides, Argos, Ilion, Agamemnon*, je fis de l'analyse de texte comme on me l'avait enseigné à l'école en disséquant les phrases trop compliquées, je réfléchis sur certaines locutions, sur certaines images, sur les métaphores. Et lorsque je fus convaincu de bien comprendre le tout, je relus le monologue à voix haute et les larmes me vinrent aux yeux. Que de choses étaient dites en si peu de mots, à peine une page de texte ! Ce veilleur qui nous expliquait avec des images magnifiques qu'il était posté depuis des années sur les remparts d'Argos à attendre des nouvelles de la chute de Troie, je le voyais, je l'entendais. Il nous parlait des inéluctables changements de saison, de la mauvaise gouverne d'Argos depuis le départ du roi, de la femme d'Agamemnon, la terrible Clytemnestre, qui avait osé prendre un amant, qui devait se lever pour annoncer aux habitants de la ville la chute de Troie, de son envie, à lui, simple veilleur, de quitter les remparts, de chanter, de danser pour fêter la victoire des siens en pays étranger, tout ça énoncé avec une telle poésie que je passai une grosse heure à relire le monologue, à l'apprendre par cœur : « Je demande aux dieux que me

quittent ces peines, ces longues années de vigie. Je couche accroupi sur le toit des Atrides comme un chien. Je connais l'assemblée des astres nocturnes, ceux qui apportent aux vivants l'hiver ou l'été... » Quelle beauté ! Ça ne ressemblait à rien de ce que je connaissais, ce n'était pas immédiatement reconnaissable ou compréhensible pour moi, mais, l'analyse terminée, le texte bien saisi, quelle joie débordait de mon cœur ! Un souffle de grandeur parcourait mon âme, encore une fois je voyageais loin de la rue Cartier, de Montréal, mais ce jour-là c'était sur les ailes d'un génie de plus de deux mille ans dont jamais je n'aurais pu deviner l'existence et, surtout, la force foudroyante, si mon frère Jacques ne s'était pas abonné aux Éditions Rencontres !

Pourquoi ne m'avait-on jamais parlé d'Eschyle à l'école ? Était-il réservé aux seuls privilégiés des collèges classiques ? En étions-nous indignes, nous les enfants d'ouvriers ? Ne méritions-nous que *La Perle au fond du gouffre* ou autres *Anciens Canadiens* ?

BIBLIOGRAPHIE

• Recueils collectifs de nouvelles francophones

– *Dernières nouvelles de la Françafrique*, Vents d'ailleurs, 2003.
– *L'Europe, vues d'Afrique*, Éditions Le Cavalier Bleu, 2004.
– *Dernières nouvelles du colonialisme*, Vents d'ailleurs, 2006.
– *Nouvelles de l'île Maurice*, Magellan & Cie, 2007.
– *Nouvelles du Mali*, Magellan & Cie, 2008.
– *Nouvelles d'Algérie*, Magellan & Cie, 2009.
– *Nouvelles de Guadeloupe*, Magellan & Cie, 2009.
– *Nouvelles de Madagascar*, Magellan & Cie, 2010.
– *Nouvelles du Sénégal*, Magellan & Cie, 2010.
– *Nouvelles du Maroc*, Magellan & Cie, 2011.
– *Nouvelles du Cameroun*, Magellan & Cie, 2011.
– *Nouvelles d'Haïti*, Magellan & Cie, 2012.
– *Nouvelles de Tunisie*, Magellan & Cie, 2012.
– *Nouvelles de la Réunion*, Magellan & Cie, 2013.
– *Voix du monde, Nouvelles francophones*, Presses universitaires de Bordeaux, 2011.
– *Des nouvelles d'Algérie, 1974-2004*, Métailié, 2005.
– *Nouvelles marocaines 2013,* Casa Express Éditions, 2013.

• Recueils de nouvelles francophones

– Francis Bebey, *Embarras & Cie*, Éditions Clé-Yaoundé, 1970.
– Édouard Elvis Bvouma, *L'Amère Patrie*, L'Harmattan, 2011.
– Fatou Diome, *La Préférence nationale et autres nouvelles*, Présence africaine, 2001.
– Noël Nétodon Djekery, *La Descente aux Enfers et autres nouvelles*, Hatier, 1984.
– Emmanuel Dongala, *Jazz et vin de palme*, Éditions du Rocher, 2003.
– David Kpelly, *Apocalypse des bouchers*, Edilivre, 2011.
– Fouad Laroui, *Le jour où Malika ne s'est pas mariée*, Julliard, 2009.
– Fouad Laroui, *Le Maboul*, Julliard, 2001.
– Fouad Laroui, *Tu n'as rien compris à Hassan II*, Julliard, 2004 (prix de la Nouvelle de la Société des gens de lettres).
– Fouad Laroui, *L'Étrange Affaire du pantalon de Dassoukine*, Julliard, 2012 (prix Goncourt de la Nouvelle 2013).

- Henri Lopes, *Tribaliques*, Éditions Clé-Yaoundé, 1971.
- Moussa Ramde, *Un enfant sous les armes et autres nouvelles*, L'Harmattan, 2010.
- Williams Sassine, *L'Afrique en morceaux*, Le Bruit des Autres, 1994.
- Paul Savoie, *Dérapages*, Interlignes, 2012.
- Ousmane Sembene, *Voltaïque*, Présence africaine, 1971.
- Cheikh C. Sow, *Cycle de sécheresse*, Hatier International, 2002.
- Michel Tremblay, *Douze coups de théâtre*, Leméac, 1992.
- Michel Tremblay, *Un ange cornu avec des ailes de tôle*, Leméac, 1994.
- Michel Tremblay, *Les Vues animées*, Leméac, 1995.
- Michel Tremblay, *Bonbons assortis*, Leméac, 2002.
- Abdourahman Ali Waberi, *Pays sans ombre*, Éditions du Rocher, 2000.

Couverture
Conception graphique : Marie-Astrid Bailly-Maître
Illustration : Sabine Allard

Intérieur
Conception graphique : Marie-Astrid Bailly-Maître
Édition : Anne-Sophie Darlet
Réalisation : Nord Compo, Villeneuve-d'Ascq

www.magnard.fr
www.classiquesetcontemporains.com

Achevé d'imprimer en juin 2014
par «La Tipografica Varese S.p.A.»
N° éditeur : 2014-0559
Dépôt légal : juin 2014